EL ENSAYO Y SU ENSEÑANZA

(Dos ejemplos puertorriqueños)

COLECCION MENTE Y PALABRA

Monografía sometida originalmente como requisito parcial para el grado de Maestría en Educación, Escuela Graduada, Facultad de Pedagogía, Universidad de Puerto Rico, Recinto de Río Piedras, en mayo de 1978, con el título:
"El ensayo y sus implicaciones educativas. Recomendaciones sobre su enseñanza. Dos ejemplos puertorriqueños".

JULIO CÉSAR LÓPEZ GONZÁLEZ

EL ENSAYO Y SU ENSEÑANZA

(DOS EJEMPLOS PUERTORRIQUEÑOS)

EDITORIAL UNIVERSITARIA
Universidad de Puerto Rico
1980

Primera Edición, 1980

Catalogación de la Biblioteca del Congreso
Library of Congress Cataloging in Publication Data

López González, Julio César.
El ensayo y su enseñanza.
(Colección Mente y palabra)

Originally presented as the author's thesis (maestría en educación), Universidad de Puerto Rico, 1978, under title: El ensayo y sus implicaciones educativas.

Bibliography: p.

1. Essay. 2. Essay — Study and teaching. 3. Puerto Rican essays — History and criticism.

PN4500.L66 1980 801'.954 80-17712

ISBN 0-8477-0568-4
ISBN 0-8477-0569-2 (pbk.)

Depósito Legal: B. 24.693 - 1980

Editorial Universitaria, Apartado de Correos X,
Estación de la Universidad de Puerto Rico
Río Piedras, P. R. 00931

INDICE

Capítulos

I. INTRODUCCION

Págs.

1. Propósito. Sus fundamentos 11
2. El ensayo y la educación 12
3. Vigencia del ensayo 13

II. CONCEPTO. ELEMENTOS CONSTITUTIVOS

A. Introducción 21
B. Elementos 22

1. Estructura 22
2. Temas 22
3. Método y estilo 23
4. Dimensión 25
5. Carácter personal 25
6. Flexibilidad 27
7. Actitud del autor 29
8. Permanencia 30
9. Naturaleza interna 31
10. Génesis o surgimiento 33
11. Comparación tipológica. Formas afines . . . 34

Función ancilar 35
1) El artículo 36
2) El estudio 37
3) La monografía 37
4) El tratado 37
5) La crítica 37

12. Proyección 38

a) Impacto como género 38
b) Función catártica 38
c) Resonancia humana 38

III. MODALIDADES DEL ENSAYO

A. Introducción 43
B. Modalidades y sus características 46

Capítulos Págs.

1. Ensayo expositivo-interpretativo 46
2. Ensayo de creación literaria 46
3. Ensayo narrativo 47
4. Ensayo-discurso u oración (doctrinario) . . . 48
5. Ensayo de crítica 48
6. Ensayo periodístico 48

IV. ORIGEN Y EVOLUCION

A. El Oriente. La Biblia 51
B. Grecia 51
C. Roma 52
D. Edad Media 52
E. Renacimiento 52
F. Siglo XVII 54
G. Siglo XVIII 54
H. Siglo XIX 55
I. Siglo XX 57

V. EL ENSAYO EN PUERTO RICO

1. Clasificación 65
2. El Romanticismo 67
3. Transición 72
4. Modernismo 73
5. Generación del Treinta 74
6. Ensayistas del Cuarenta, Cincuenta, Sesenta y Setenta 76

VI. TECNICAS APLICABLES EN LA ENSEÑANZA DEL ENSAYO. (RECOMENDACIONES)

A. Introducción 83
B. Objetivos generales. Métodos correlativos. Proposiciones 84

VII. DOS EJEMPLOS PUERTORRIQUEÑOS

A. Introducción 95
B. "Presencia del Yunque y Asomante", por Concha Meléndez. El sentido de este ensayo 95
C. Cuestionario relativo al ensayo de Concha Meléndez . 101
D. Actividades relacionadas con el ensayo de Concha Meléndez 103

Capítulos Págs.

E. "El paisaje de Puerto Rico", por Margot Arce de Vázquez. El sentido de este ensayo 104
F. Cuestionario relativo al ensayo de Margot Arce de Vázquez 109
G. Actividades relacionadas con el ensayo de Margot Arce de Vázquez 110
H. Problemas en un posible estudio comparativo sobre los dos ensayos 111

VIII. RECOMENDACIONES A PROFESORES Y ESTUDIANTES SOBRE LA TECNICA PARA EL ESTUDIO DE ENSAYO. TEXTOS SUGERIDOS 115

Conclusiones 129

Apéndices

I. Presencia del Yunque y Asomante, por Concha Meléndez. [Texto] 139
II. El paisaje de Puerto Rico, por Margot Arce de Vázquez. [Texto] 143

Bibliografía 151

ÍNDICE

Capítulo Pág.

e. "El retrato de Puerto Rico" por Miguel Ángel [illegible] Vázquez. [illegible] 103
f. Cuestionario [illegible] de Miguel Ángel Vázquez [illegible]
g. Actividad [illegible]
h. [illegible]

V. [illegible]
[illegible]
[illegible]

Conclusiones

Apéndice

i. [illegible]
ii. [illegible]

Bibliografía

I

INTRODUCCION

1. *Propósito. Sus fundamentos*

El estudio del ensayo como género literario puede abrir al estudiante nuevos horizontes en su sensibilidad y en su inteligencia. El tratamiento personal de los temas, sin caer en abismos de subjetividad, comunica al alumno la experiencia de unas visiones que reafirman los lazos afectivos con el mundo a través del manejo de la palabra.

La necesidad de ubicarnos en el mundo es inseparable de la necesidad de establecer contacto con las palabras. El mundo se actualiza en nosotros, cobra vida, gana sentido, a través de las palabras. Las palabras que otros dicen. Las palabras que otros escriben. Sobre todo, estas últimas palabras son las que, transfiguradas por el manejo artístico del escritor, revelan visiones, establecen relaciones conceptuales, que justifican la presencia humana y explican la historia y llenan de encantadora sustancia la cultura.

Cabe advertir que lo más valioso de la palabra dicha se salva, con carácter normativo, para muchas generaciones, en la palabra escrita. Esta misión general de la palabra, como modalidad artística, halla en el ensayo una de las vías más atractivas de realización. Por su naturaleza de tratamiento relativamente breve, sin que ello lesione la densidad del contenido, el ensayo ofrece, en épocas de ritmos vitales muy acelerados, un recodo de amena y creadora confrontación con ideas en un nivel de diálogo libre y cordial.

El ensayo como género literario muestra una riquísima diversidad de temas, de enfoques y de formas expresivas. Esta diversidad corresponde a la libertad que el ensayo, por su propia índole, otorga al escritor. La conjugación de valores subjetivos y de propósitos objetivos —el ensayo concilia sugestividad del objeto y potencialidad del sujeto— imparte a este género una selección concreta de un eje conceptual cuya movilidad depende de los matices que un lubricante muy personal vierta en su contorno. En el ensayo hay, pues, una libertad personal que encauza inquietudes sin generar conflictos con normas de severidad y disciplina. Representa el ejercicio de una libertad que armoniza gracia y rigor.

2. *El ensayo y la educación*

Parece, a primera vista, que el ensayo no ofrece un instrumento muy eficaz en la fijación de criterios para la enseñanza. Su naturaleza, desde ciertos ángulos, asistemática, su flexibilidad bastante ajena a normas de mucho rigor conceptual, la tónica personal que lo hace efusivo, parecen adscribirle una dirección, si no opuesta, por lo menos, extraña, a las exigencias de disciplina mental, de objetividad, de severo juicio, que solemos reclamar a los canales propios de la educación. Sin embargo, esta prevención resulta infundada si revisamos el objetivo de la educación en zonas de la personalidad donde la sensibilidad estética ofrece aspectos propios para una interacción que devele potencialidades en la relación del educando y su mundo.

La impronta de la personalidad del autor no le otorga al ensayo un destino anárquico, menguándole seriedad intelectual o convirtiéndolo en un depósito de piezas indefinidas. A contrapelo de la libertad que el ensayista reclama como condición primaria de su oficio, el ensayo supone unidad, coherencia, organización. Sin proponerse fines didácticos, la pieza ensayística cumple funciones educativas. Queremos demostrarlo así a lo largo de este trabajo. A tal efecto, trazamos un desarrollo histórico que hace patente el valor del ensayo como instrumento de cultura, reunimos elementos que pueden aclararnos su naturaleza y elaboramos unas recomendaciones, de carácter técnico, que ilustran el potencial educativo de esa composición escrita, aparentemente tan elusiva, llamada "ensayo".

Son tan fuertes las implicaciones educativas del ensayo que el escritor costarricense Luis Ferrero las capta en estas frases:

> "El propósito del ensayo es el de educar en el sentido etimológico del vocablo: estimular el crecimiento. El estímulo educativo puede resultar en el nivel emotivo o en el nivel intelectual, o simultáneamente en ambos. Esto último influye en el crecimiento humano, y es el objetivo del ensayo."[1]

Hay en la naturaleza del ensayo una especie de tácita petición para que el lector prolongue, con sus observaciones, la vida de las ideas esbozadas, el planteamiento que requería mayores puntales. El lector deberá hacerse cargo del pensamiento que comenzó un itinerario como agente de contacto en varias fronteras y espera la mano que lo apoye en su afán de proseguir viaje. El ensayo, pues,

1. Ferrero, Luis. *Ensayistas costarricenses.* San José, Costa Rica, Librería, Imprenta y Litografía Antonio Lehmann, 1972. (Segunda edición). P. 13.

en la función educativa que le atribuimos, convoca al lector como un colaborador o relevista en la faena escrutadora de una vasta temática. Desde este ángulo, Ferrero ilustra el carácter educativo del ensayo, expresando lo siguiente:

> Al terminar la lectura de un ensayo neto, queda la sensación de que el tema amerita profundidad en el tratamiento. Esto se debe a la característica educativa que tiene el ensayo. El lector, al recibir el estímulo educativo, siente la necesidad de completar mentalmente los argumentos: de enriquecerlos, de ampliarlos. Por ello Julián Marías dice que el ensayo 'tiene fines de orientación, e incitación, para señalar un tema importante que podrá ser explorado en detalle por otros; y para estudiar cuestiones marginales y limitadas, fuera del torso general, de una disciplina.'[2]

3. *Vigencia del ensayo*

El ensayo constituye una expresión representativa del clima cultural de nuestro tiempo. Su estructura le permite formulaciones que gravitan profundamente sobre la época actual, suscitando inquietudes, fundamentando posiciones críticas y ofreciendo claves para diagnósticos y vislumbres.

Oscar Sambrano Urdaneta muestra el relieve alcanzado por este género cuando afirma que "tiene una insuperable condición para servir como exponente y expresión de una época en que, como en ninguna otra de su larga historia, el hombre ha tenido que enfrentarse con problemas vitales relacionados con su condición individual y colectiva".[3]

Pero, además, Sambrano opina que la cantidad de ensayos publicados hoy en todos los idiomas "es tal vez superior al número de novelas, cuentos, poesía lírica y teatro" y dice que este dato sugiere la siguiente pregunta: La extraordinaria categoría alcanzada por el ensayo en el mundo moderno, comprobada por la conquista diaria de nuevos cultores y lectores, ¿guarda una relación con su esencia misma y con las inquietudes intelectuales del hombre contemporáneo? Sambrano contesta:

> Parece evidente que sí. Vivimos en un siglo sembrado de problemas y de esperanzas. Tal vez como nunca antes, el hombre de hoy está obligado a meditar no sólo sobre su destino personal, sino también sobre el presente y futuro de la colectividad que

---

2. Ferrero, *Ibidem*, p. 14.
3. Sambrano Urdaneta, Oscar. *Apreciación literaria.* Caracas, Tipografía Vargas, 1966. (Octava edición). P. 107.

> vive. Se explora el pasado en busca de referencias provechosas; se analiza el presente; se prevé el porvenir. Nos está vedado dejar que otros piensen en lugar nuestro; cada individuo tiene su propia problemática y esta época parece ser la que mayores interrogantes plantea a diario. Siendo el ensayo el vehículo literario más apropiado para estimular el pensamiento de los lectores, lógico es que prolifere ahora cuando esa necesidad espiritual es casi un deber cotidiano. Tanto es la fuerza que ha cobrado en los tiempos que discurren que, rebasando sus propias fronteras, el ensayo invade otros dominios literarios.[4]

Sambrano señala, además, otro aspecto en el alcance educativo del ensayo y afirma que

> ...el ensayo sirve preferentemente para avivar y enriquecer nuestras ideas tradicionales sobre un tema determinado. Para lograrlo, los mejores ensayistas suelen crear un clima intelectual propicio para auxiliar las meditaciones del lector atento.[5]

Un comité de profesores universitarios puertorriqueños que recopiló y organizó los textos incluidos en la *Antología de lecturas para el curso de español* considera que el ensayo es, "después de la novela", "la forma expresiva de mayor popularidad y cultivo en casi todo el mundo moderno".[6]

Si queremos medir el valor del ensayo como recurso educativo que aclara nuestra ubicación en el mundo hispanoamericano, podemos apelar a la opinión de Carlos D. Hamilton, quien afirma lo siguiente:

> Yo intentaría una selección que obedezca a una doble exigencia: La necesidad pedagógica de abrir a los estudiantes y estudiosos el camino para seguir buscando el pensamiento de América en las páginas de nuestros ensayistas y la de mostrar a los lectores interesados en la cultura hispanoamericana la riqueza, la variedad en la unidad, la profundidad y la belleza que puede encontrarse rastrojeando por los ensayistas de nuestra América.
>
> "Nace el ensayo con la Independencia; llega a la mayor edad con el Modernismo. Pero desde entonces hasta hoy mantiene, en Hispanoamérica, una idea fija y central: la Libertad. El observador extranjero, para conocer el pensamiento de la América Hispánica, no debería mirar tanto a los cables periodísticos como a las páginas en que vibra la voz constante de sus pensadores.

---

4. *Ibid.*, p. 108.
5. *Ibid.*, p. 109.
6. Universidad de Puerto Rico. *Antología de lecturas.* (Curso de español). Vol. I. Primer semestre. (Edición revisada). Prólogo de Mariana Robles de Cardona. Río Piedras, Puerto Rico, Editorial Universitaria, 1972. P. 596.

> El pensamiento de Hispanoamérica está, naturalmente, presente en la poesía, la novela o el teatro. Pero se explaya más explícitamente en el ensayo. Los ensayistas han ido evolucionando conforme a las diversas tendencias del pensamiento occidental y a las transformaciones del estilo a través de ciento sesenta años.[7]

Por otro lado, la ponderación del ensayo adopta en Hamilton un tono vindicador de este género frente a ciertas actitudes desdeñosas. El enfoque de Hamilton es el siguiente:

> Ha prevalecido durante un tiempo la actitud un tanto desdeñosa para apreciar, o menospreciar, el ensayo. Como si fuera un género híbrido, informe, que no es filosofía ni historia, ni literatura ni ciencia, ni fantasía ni retrato de costumbres. Como si el escritor incapaz de expresarse por medio de la poesía o la novela se saliera por la tangente con un... ensayo.
>
> Pero la verdad es otra. El ensayo no consiste en una leve insinuación superficial de livianas generalidades. El ensayo exige madurez. Por eso suele llegar tarde a las literaturas, cuando ya están las culturas en plenitud y en un momento crítico, sus escritores son ya capaces de reflexionar y de expresar lo largamente meditado en la elegante concisión de un mensaje.[8]

El modo que el ensayo adopta para alcanzar resonancia en el mundo de los lectores e irradiar sobre la sensibilidad y la inteligencia, aun dentro de su típica demarcación, es subrayada por Hamilton de la siguiente manera:

> Se requiere cierto garbo artístico cuasi juvenil para tratar cosas serias y decir cosas profundas con brevedad y elegancia sin requerir los párrafos largos y complicados de los viejos tratadistas. El ensayo reemplaza, históricamente, al Tratado. No sólo por la mayor brevedad que el periodismo, la velocidad o los nervios han impuesto a la cultura moderna; sino porque ofrece como una más apretada síntesis cultural.
>
> "No que el ensayo pueda ser un "digest" de componendas con la superficialidad reinante y el "record" de la noticia volandera. Unamuno en algunos ensayos puede ser más profundo que enteros tratados de los más serios filósofos del pasado. Hay mayor solidez en algunos ensayos del dominicano Pedro Henríquez Ureña que en multitud de textos de divulgación cultural reunidos y contiene más seria investigación histórica una página poética de Alfonso Reyes que todos los volúmenes de nuestros pasados historiadores del siglo XIX.

---

7. Hamilton, Carlos D. «*El ensayo hispanoamericano*». (Introducción a una Antología del ensayo hispanoamericano). Reproducido en: *Cuadernos Americanos,* México, Año XXX, N.º 3, mayo-junio, 1971. P. 242.
8. *Ibid.,* pp. 240-241.

"Hay ensayos políticos y sociológicos; históricos y artísticos; polémicos o de crítica literaria, etc. Los temas son infinitos. Pero el ensayo moderno contendrá siempre una síntesis de erudición, un fondo hispanoamericano histórico-filosófico y un sentido de alta política americanista. Y la forma será clara, concisa, elegante.[9]

Medardo Vitier señala, del siguiente modo, la importancia del ensayo con respecto a la realidad hispanoamericana:

> Llena está de problemas la América de origen latino. Algunos son en ella tan viejos como el establecimiento por acá de españoles y portugueses. Otros los fue planteando la época colonial. Los hay que han surgido con la independencia, a más de los recientes (económico-sociales), que en nuestras repúblicas no tienen igual carácter que en Europa.
>
> "Casi todo lo refleja el ensayo. Acude solícita esta forma de la prosa a esclarecer buen número de cuestiones. No nos da tanto las soluciones, como la conciencia de la realidad. A veces escuchamos voces de criterios dispares, lo cual ilumina más los puntos debatidos; un 'pathos' de ansiedad penetra las páginas de no pocos ensayistas, y se fomenta la solidaridad del pensamiento preocupado. Por ahí hemos de salvarnos, por la preocupación.[10]

Iris M. Zavala, por su parte, ve al ensayo hispanoamericano como "literatura de denuncia y de protesta" y le atribuye la misión de traslucir las transformaciones ocurridas en el turbulento mundo hispanoamericano. A tal respecto, dice:

> El ensayo, el artículo, son recursos que podemos utilizar para la búsqueda de esas entidades político-culturales que integran nuestro mundo. Mediante el pensamiento discursivo nuestros escritores han explicado, combatido y agredido. En el ensayo se cruzan múltiples problemas: políticos, económicos, sociales, culturales, imposibles de deslindar.[11]

Si, en otra dirección, examinamos la vigencia del ensayo como instrumento revelador de la problemática contemporánea en España, hallamos el testimonio de Federico de Onís, quien lo ofrece de este modo:

> Por todas estas razones no hay mejor introducción para el estudio de la literatura y la civilización españolas que la lectura

---

9. *Ibid.*, p. 241.

10. Vitier, Medardo. *Del ensayo americano.* México, Fondo de Cultura Económica, 1945. (Colección Tierra Firme, N.º 9). P. 293.

11. Zavala, Iris M. y Rafael Rodríguez. *Libertad y crítica en el ensayo político puertorriqueño.* Río Piedras, Puerto Rico, Editorial Puerto, 1973. P. 5.

de una selección como la presente de los ensayos contemporáneos. Mediante su lectura se adquirirá no sólo el conocimiento de uno de los capítulos más importantes de la literatura contemporánea, sino una interpretación total del pasado de España como fuerza viva que está actuando en la creación de su porvenir.[12]

Onís vincula el desarrollo del ensayo al desarrollo de la lírica como uno de los aspectos más interesantes de la cultura contemporánea. El explica esta relevancia coincidente de la siguiente manera:

> Uno de los caracteres más significativos de la época contemporánea en las letras españolas es el desarrollo predominante del ensayo juntamente con el de la poesía lírica. El ensayo, tan cultivado en las letras inglesas durante el siglo XIX, viene a ser en prosa otra forma de expresión lírica: la del pensamiento, no en lo que tiene de objetivo, sino en su intimidad individual. Es el ensayo contemporáneo de España producto de dos tendencias de la época: el individualismo y el extranjerismo. Se vuelve a dar en ella valor a los estados y anhelos espontáneos del espíritu y se busca inspiración en las formas literarias más extrañas a la tradición nacional. Por lo que respecta al ensayo es muy patente la influencia inglesa en muchos de los ensayistas contemporáneos, mientras que en otros sigue predominando la influencia francesa. Del primer caso sería ejemplo sobresaliente Unamuno, y del segundo, Azorín. Sin embargo, los dos son muy hondamente españoles. Y es que, sin proponérselo, vienen a coincidir con los ensayistas españoles clásicos, cuya tradición ininterrumpida resucita en ellos.[13]

Si al revisar, en lo que concierne al ensayo, la trayectoria de los esfuerzos creadores en Puerto Rico, nos detenemos en la etapa representada por la Generación del Treinta, podemos percatarnos de la enorme importancia de este género en cuatro direcciones que, según Mariana Robles de Cardona, son las siguientes:

1. Planteamiento de nuestro destino de pueblo.
2. Señalamiento de los caracteres definitorios de la personalidad puertorriqueña.
3. Enjuiciamiento de nuestra cultura.
4. Exposición, muchas veces erudita, sobre temas estéticos, filosóficos, históricos, sociológicos, lingüísticos, con el propósito de mejoramiento colectivo.[14]

---

12. Onís, Federico de. «El ensayo contemporáneo». En: *España en América.* Río Piedras Ediciones de la Universidad de Puerto Rico, 1955. P. 379.
13. *Ibid.*, p. 378.
14. Robles de Cardona, Mariana. «El ensayo de la generación del 30». En: *Literatura puertorriqueña.* 21 conferencias. San Juan de Puerto Rico, Instituto de Cultura Puertorriqueña, 1960. P. 338.

El ensayo muestra, pues, múltiples facetas que ponen de relieve su vigencia como pieza de creación literaria que ilumina sectores de la compleja problematicidad humana y sirve con singular eficacia como brújula en la formación espiritual para abordar las expectaciones que el mundo genera. En tal sentido, hay en el ensayo un potencial educativo que le asigna una misión muy significativa, sobre todo en un tiempo como éste, tan cargado de perplejidades.

II

CONCEPTO. ELEMENTOS CONSTITUTIVOS

A. *Introducción*

Podemos abordar el concepto de ensayo desde tres ángulos: [15] la acepción general, el sentido más popular y la definición más precisa. Los dos primeros tipos de abordaje muestran elementos que se unen al tercero para aclarar el perfil de esta modalidad del trabajo creador a través de la palabra escrita. Veamos someramente el contenido de los tres abordajes del concepto.

En la acepción general, el ensayo queda identificado con la experimentación, con la prueba, con el ejercicio que antecede a la ejecución definitiva de algo. En este enfoque hay un principio que tiene vigencia al aplicarlo a esa composición escrita que llamamos "ensayo". El principio enunciado apunta hacia una finalidad adjudicable a este género: visión particular y personal de una materia; no un análisis, profuso en recursos, encaminado al tratamiento exhaustivo, a la dilucidación, en todos sus detalles, de un determinado asunto. La plenitud de una dilucidación no es algo consustancial al ensayo.

En su sentido más popular, la palabra "ensayo" significa toda pieza escrita, de poca extensión, que presente puntos de vista sobre una situación dada, un problema planteado, aspectos de objetos o sujetos, vertientes diversas del tiempo o del espacio.

Sin embargo, ciñendo el concepto a su contorno más preciso, diríamos, adelantando notas fundamentales, que el ensayo es una composición en prosa; que el autor ejerce su libertad para escoger el tema; que sus límites no implican mutilación de las ideas; que el autor proyecta su personalidad, otorgándole giros muy particulares a su desarrollo; que refleja multiplicidad de vivencias, lo cual corresponde a la inmensa variedad de su temática.

Podemos fijar una serie de criterios básicos que sirvan como

---

15. Adopto, en la consideración de estas tres acepciones, el esquema empleado en la siguiente publicación: Universidad de Puerto Rico: *Antología de lecturas.* (Curso de Español). Vol. I. Primer Semestre. (Edición Revisada). Prólogo de Mariana Robles de Cardona. Río Piedras, Puerto Rico, Editorial Universitaria, 1972. PP. 594-598. He tratado de ampliar la explicación sobre el sentido de este esquema. Ulteriores referencias a esta obra aparecerán con la sigla *UPRAlect.*

centros de referencia hacia los cuales sea útil remitir los elementos constitutivos del ensayo a medida que vayamos descubriéndolos. Esos criterios básicos serían los siguientes: estructura, temas, método, dimensión, carácter personal, flexibilidad, actitud del autor, permanencia, naturaleza interna, génesis, función ancilar y alcance.[16] Veamos el contenido de cada uno de estos términos.

B. *Elementos*

1. *Estructura.* La estructura del ensayo no se da sobre bases estricta y previamente diseñadas, sino que el autor se otorga una amplia licencia, que no excluye cierta disciplina, para organizar y manejar sus materiales.

Medardo Vitier generaliza sobre este rasgo del ensayo, expresando lo siguiente:

> Las ideas que ordena no aparecen con rigor de ordenación ni fríamente concebidas, como en un tratado, sino que lucen vivificadas por una efusión, más o menos contenida, y por las cualidades de un estilo mucho más flexible que el de los libros destinados a la enseñanza. Doctrina, sí, pero diluida en el comentario animado o en la meditación alada.[17]

José Luis Martínez define ese rasgo, llamándolo "falta voluntaria de profundidad en el examen de los asuntos".[18] Por su parte, Luis Ferrero afirma que el ensayo "se caracteriza por su forma cambiante y, por decir así, escurridiza".[19]

2. *Temas.* Desde el punto de vista cuantitativo, resulta incalculable el material temático que figura en las perspectivas del ensayo. Y desde el punto de vista cualitativo —sustancia, contenido— es imponderable la riqueza temática que el ensayo atrapa con la libertad propia de su naturaleza. Pero, a la nota de su variedad inmensa, es indispensable agregar la nota que distingue a esos temas: su carácter inusitado como expresión de la libertad que el ensayista ejerce para mover su imaginación y su inteligencia en los insospechados rumbos de su esfuerzo creador.

---

16. Por la dificultad inherente a toda clasificación o desglose para fines de análisis, se advertirá que hay aspectos comunes o porciones intercambiables entre los elementos ya separados. El lector atento comprenderá el carácter relativo y, hasta cierto punto, arbitrario, de esta individualización.
17. Vitier, Medardo, *op. cit.*, pp. 45-46.
18. Martínez, José Luis, *op. cit.*, p. 9.
19. Ferrero, Luis, *op. cit.*, p. 9.

Los temas del ensayo quedan matizados por la impronta de la misma personalidad del autor. Y, en ese despliegue, el ensayista trata de hallar aristas poco frecuentes, es decir, filones no comúnmente observables, en el contacto con la pluralidad de facetas de la vida, la historia, la ciencia, la sicología, la sociología, el arte, las letras; en fin, el mundo en toda la gama de sus manifestaciones. Resultan muy atinadas las observaciones que, en tal sentido, hace Oscar Sambrano Urdaneta:

> Es incalculable la rica variedad de temas que pueden servir de estímulo al ensayista. Prácticamente todo cuanto se relaciona con el destino del hombre es materia propicia para ser abordada por este género. Sin embargo, el ensayista huye de su peor enemigo, el lugar común, y procura seleccionar aquellos asuntos que le dejen cierto margen para emitir opiniones personales, pues una de las características más evidentes del ensayo parece ser la de expresar el punto de vista de quien escribe.[20]

Y, resumiendo la visión de esta inmensa apertura temática, Martín Alonso sostiene que "todo puede ser tratado en el ensayo. Lo trascendente y lo frívolo, las inquietudes actuales y las preocupaciones pretéritas".[21]

3. *Método y estilo.* Resalta, de inmediato, que el ensayo es una exposición discursiva en prosa.[22] Dentro de ese marco, la combinación que el ensayo establece entre el respeto a cierto tipo de exigencia metodológica y el evidente sentido de libertad para tratar ideas y utilizar formas expresivas de alcance poético, le imprime, por lo menos sobre esta base, un carácter ambivalente. José Luis Martínez,[23] fundando su opinión en observaciones de Miguel de Montaigne, califica el método como "caprichoso y divagante". Los dos calificativos merecen examen a fin de situarlos semánticamente en la zona adecuada. Y entre ellos mismos existe una diferencia de matices. La divagación no es, estrictamente, un capricho, sino una búsqueda. El ensayo puede abordar el tema de la frivolidad, pero no es frívolo.

---

20. Sambrano Urdaneta, Oscar, *op. cit.*, p. 105.

21. Alonso, Martín. *Ciencia del lenguaje y arte del estilo.* Madrid, Aguilar, 1955. P. 470.

22. Hay que admitir, a modo de excepción, la existencia de algunos ensayos escritos en verso: John Dryden (1631-1700) y Alexander Pope (1688-1700), autores ingleses, escribieron, según dice José Luis Martínez, «auténticos ensayos en verso sobre temas preceptivos y filosóficos». Goethe escribió un ensayo en verso: *La metamorfosis de las plantas.* Y Luis Ferrero señala la *Oda a la zona tórrida,* de Andrés Bello, como obra cercana al ensayo.

23. Martínez, José Luis, *op. cit.*, p. 9.

Medardo Vitier explica el tratamiento ambivalente, enfatizando que el ensayo "oscila entre cierto rigor de desarrollo, que lo acerca a la didáctica, y la extrema libertad ideológica y formal que le comunica tono poético".[24] José Luis Martínez, por su parte, explica esta doble vertiente del siguiente modo: "El ensayo es un género híbrido en cuanto participan en él elementos de dos categorías diferentes. Por una parte es didáctico y lógico en la exposición de las nociones o ideas; pero, además, por su flexibilidad efusiva, por su libertad ideológica y formal, en suma, por su calidad subjetiva, suele tener también un relieve literario." [25] Y Oscar Sambrano Urdaneta establece, con precisión, el carácter ligero, pero, a la vez, serio, del ensayo:

> Método es el conjunto de normas a las que nos ceñimos para obtener un resultado. Estilo es la forma muy personal que usa todo escritor para expresarse. Es natural, pues, que el ensayista adopte un método cualquiera para analizar el problema que se ha propuesto y que luego se exprese en una forma determinada. En materia de ensayo no hay un método único establecido, sino libertad absoluta de considerar el tema conforme mejor le convenga al autor. Tampoco existen ordenanzas literarias que condicionen el estilo. Lo que sí parece notarse es que la mayoría de los mejores ensayistas utilizan un lenguaje preciso que no por ello sacrifica los encantos del buen decir.[26]

Otros aspectos del método y del estilo en el ensayo son descritos así por Martín Alonso: "La estilística del ensayo está regida por su condición especial. No admite complicaciones de forma que recarguen su vibración o la apaguen. Su norma será la intensidad y no la extensión. El ensayista escribe en estilo cortado, parco de palabras, prefiriendo la densidad metafórica a la ampulosidad explicativa." [27]

Carlos Real de Azúa sugiere que el aspecto discursivo se salva en el ensayo y funda este aserto de la siguiente manera:

> Pero si el ensayo no sigue una trayectoria estricta —y aún los ejemplos tradicionales cultivaban fruitivamente la digresión, la divagación— siempre es *discurso* en cuanto tipo de marcha, en cuanto capacidad de derivación, de prolongación, de construcción, en suma. El ensayo tiende así casi siempre, desde principios modestos y a veces —decía— meras ocurrencias, a una amplificación muy ambiciosa de la verdad encontrada, de la afirmación que se postula.

---

24. Vitier, Medardo, *op. cit.*, p. 46.
25. Martínez, José Luis, *op. cit.*, pp. 9-10.
26. Sambrano Urdaneta, Oscar, *op. cit.*, pp. 104-105.
27. Alonso, Martín, *op. cit.*, p. 470.

> Con todo, si es consciente de sí mismo, se sabe mortal. Con todo no puede perder nunca —completamente— su característica de tentativa, de aproximación, de punto de partida, de "attempt", de borrador, de 'ensayo', en puridad, con la acepción que sugiere este término y todos los anteriores.[28]

Otros aspectos del método y del estilo en el ensayo son, según los describen los compiladores de la *Antología de lecturas del Curso de Español* de la Universidad de Puerto Rico, los siguientes:

> Debe estar redactado en un estilo claro, distinto y estar dignamente orientado por el buen gusto y la naturalidad. Su tono puede ser filosófico, profundo, ingenioso, retórico, satírico, humorístico, poético, ligero... El encanto que nos produce reside muchas veces en este factor psicológico-emocional. Tiene sabor de cultura; no es obra de incipiencia superficial, sino expresión de madurez.[29]

4. *Dimensión.* ¿Cuáles son los límites físicos del ensayo? ¿Existe una norma delimitadora que imponga fronteras, estrictamente espaciales, para constreñir el alcance del ensayo y adaptarlo prudentemente a las necesidades del lector? No, no se han prefijado esos límites. No puede haber preceptiva a tal respecto. Lo que sí existe es una práctica ya tradicional, coincidente, pero no forzosa, de dar un tratamiento generalmente breve al tema escogido por el ensayista. Tal práctica ha inducido a considerar al ensayo como una composición susceptible de lectura de una sola vez, a lo cual contribuye también la tónica que le caracteriza. Pero hay ensayos que prolongan su tratamiento y hasta acuden a recursos propios de trabajos de erudición en el afán de apoyar determinados juicios. De todos modos, es evidente que el ensayo, en la mayor suma de sus manifestaciones, se caracteriza por su brevedad. Ello no impide comprender que la dimensión depende de varios factores: la formación, la actitud y la finalidad del autor, la naturaleza del asunto que trate y el tipo de lector que, de algún modo, el ensayista visualice como el receptor de su mensaje.

5. *Carácter personal.* El ensayo revela la huella de la personalidad del autor. La proyección de esa personalidad en el cuerpo del ensayo genera en éste la propensión a la contaminación lírica. No se trata de que la carga de subjetividad, desprendida de esa pro-

---

28. Real de Azúa, Carlos. *Antología del ensayo uruguayo contemporáneo.* 2 vols. Montevideo, Uruguay, Universidad de la República, Departamento de Publicaciones, 1964. PP. 18-19.
29. UPRAlect., pp. 595-596.

yección, lo convierta en pieza lírica, sino que un soplo afectivo orea los esquemas conceptuales que también pugnan en el ensayo por abrirse paso.

La manifestación de la personalidad del autor no es uniforme entre los ensayistas; la matización subjetiva muestra entre ellos diferentes grados de intensidad y calidad. Pero el denominador común es el de una visión personal, una interpretación predominantemente privativa de un problema visto casi siempre en sus capas menos ostensibles, pero no menos importantes, sin que ello implique agotamiento de la materia localizada.

Medardo Vitier observa en la naturaleza del ensayo "cierto elemento creador, o cuando menos, una voluntad de visión personal que hacen del género un instrumento apto para remover las cuadrículas de la rutina en el mundo".[30]

El proceso mediante el cual se adopta en el ensayo la directriz de un marcado tono personal es descrito por José Luis Martínez con las siguientes expresiones:

> Es, pues, ante todo, una peculiar forma de comunicación cordial de ideas en la cual estas abandonan toda pretensión de impersonalidad e imparcialidad para adoptar resueltamente las ventajas y las limitaciones de su personalidad y su parcialidad. En los ensayos más puros y característicos cualquier tema o asunto se convierte en problema íntimo, individual; se penetra de resonancias humanas, se anima a menudo con un toque humanístico o cierta coquetería intelectual y, renunciando cuando es posible a la falacia de la objetividad y de la seriedad didáctica y a la exposición exhaustiva, entra de lleno en un "historicismo" y se presenta como testimonio, como voto personal y provisional.[31]

Y Sambrano Urdaneta hace el siguiente enfoque:

> El Ensayo es, por otro lado, apreciación subjetiva sobre temas que pueden estar o no agotados objetivamente. (Continuamente el hombre vuelve sobre aquellos temas que tienen importancia para él. Miles de páginas se han escrito sobre el Renacimiento. Después de cuatro siglos de consideraciones, pocos datos *objetivos* quedan por añadir, a no ser que un afortunado investigador se tropiece con documentos hasta ahora desconocidos. Lo que en cambio no se ha agotado a propósito del Renacimiento y de muchos otros temas de mayor, menor o igual importancia, es la posibilidad de valorizarlos de acuerdo con el punto de vista personal de un autor. El ensayo es, en tal sentido, apreciación sub-

30. Vitier, Medardo, *op. cit.*, p. 48.
31. Martínez, José Luis, *op. cit.*, p. 10.

jetiva sobre temas que pueden estar o no agotados objetivamente).[32]

El contraste objetividad-subjetividad, dramatizado por la afirmación personal que el ensayista despliega, es aclarado por Luis Ferrero del siguiente modo:

> Como el ensayista abandona toda pretensión de imparcialidad e impersonalidad, esto trae como consecuencia la subjetividad. El ensayista emitirá juicios estéticos, históricos, científicos, etc., dentro del marco de su propia experiencia. Suele ver el pasado a través de los lentes del presente; los campos especiales del conocimiento están sujetos a una interpretación personal. Por lo tanto, el frío objetivismo académico cede al calor de la subjetividad, donde a menudo no se presta mucha atención a los detalles como las referencias exactas y el dato que apoya la prueba. Como señala Ortega y Gasset: "El ensayo es la ciencia, menos la prueba explícita". Esta subjetividad abre paso a la flexibilidad. Entonces, el ensayista puede moverse sin rigurosidad, aún ilógicamente si así lo desea a través de la discusión del tema, siempre manifestándose dentro de la estructura lógica y básica arriba mencionada.[33]

Desde una perspectiva más filosófica, Carlos Real de Azúa aborda este aspecto del ensayo, formulando las siguientes observaciones:

> El juicio, la opinión, la "doxia" que el ensayo porta van cargadas con los zumos más íntimos del autor, develan su personalidad, valen por su *efusión,* implican el compromiso vital del opinante, se sitúan antipódicamente de toda objetividad, de toda neutralidad, de todo conocimiento socializado. Y quien dice personalidad dice originalidad (o autenticidad, por lo menos, pues los términos no son sinónimos), dice *perspectiva,* punto de vista incanjeable, construcción no repetible y, en suma, *poesía.*[34]

6. *Flexibilidad.* La flexibilidad del ensayo es consecuencia de su carácter personal y revela su libertad en las formas expresivas, en el abordaje temático y en el tono general. Su eficacia comunicativa se funda en esta flexibilidad que le fluye en encanto persuasivo sobre el lector. Las ideas, tocadas por el ensayo, adquieren fuerza expresiva, tonalidad cordial, cierta informalidad, todo lo cual promueve un fecundísimo diálogo con los lectores.

Según opina Sambrano Urdaneta, la ubicación misma del ensayo comienza por presentar "cierta vaguedad cautivadora". Ampliando

---

32. Sambrano Urdaneta, Oscar, *op. cit.,* pp. 105-106.
33. Ferrero, Luis, *op. cit.,* pp. 15-16.
34. Real de Azúa, Carlos, *op. cit.,* pp. 16-17.

esta observación, Sambrano explica: "El ensayo tiene su órbita en ese impreciso límite entre lo literario y lo no literario, ya que si en materia de lenguaje puede alcanzar los más sorprendentes valores estilísticos, en cuanto a su naturaleza conserva la forma expositiva y la interpretación lógica propia de las ciencias especulativas." [35]

Podemos decir, sin contradecirnos, que el ensayo tiene implicaciones educativas, aun cuando no persigue un fin estrictamente didáctico. Eva evasión de lo didáctico es, precisamente, una de las modalidades del ejercicio de su libertad. Sambrano lo expone así:

> El ensayista da la impresión de fundamentarse en el siguiente supuesto: el lector conoce en líneas generales, cuando menos, la materia de que se va a tratar. Relevado, por ello, de una explicación didáctica, es natural que pueda imprimirle a su estilo una mayor soltura en el tratamiento de aquellos temas sobre los cuales no se propone "enseñar" nada viejo ni conocido, sino dar un punto de vista nuevo y original. Por esto, el ensayo sirve preferentemente para avivar y enriquecer nuestras ideas tradicionales sobre un tema determinado. Para lograrlo, los mejores ensayistas suelen crear un clima intelectual propicio para auxiliar las meditaciones del lector atento. Un párrafo magistralmente condensado de don Alfonso Reyes conduce a reflexiones que resultan complementarias de lo que el ensayista sugiere en una pregunta sin respuesta o en una afirmación no demostrada. En este sentido es posible aseverar que el ensayo da más positivos resultados cuanto mayor es la madurez cultural de los lectores.[36]

Por su parte, Ferrero dice que el ensayo

> ...permite numerosas modulaciones dentro de la amplia esfera deslindada por dos extremos: a) el extremo didáctico-expositivo de la monografía formal, el tratado o estudio científico y "objetivo"; la mera comunicación de informes, de escuetos conceptos o hechos, como en la pura crónica o el reportaje; b) el extremo poético-creador: sea puro lirismo no-narrativo, sea pura ficción narrativa de sucesos ficticios con personajes ficticios. Combina objetividad con subjetividad. "La función del ensayista... parece conciliar la Poesía y la Filosofía. Tiende un puente entre el mundo de las imágenes y el de los conceptos", como afirma Mariano Picón-Salas.[37]

Florentino M. Torner dice que en el ensayo caben todos los temas y todos los tonos.[38] Y Rafael Lapesa subraya que "el ensayo

35. Sambrano, *op. cit.*, p. 103.
36. *Ibid.*, p. 109.
37. Ferrero, Luis, *op. cit.*, pp. 15-16.
38. Torner, Florentino M. *Antología de ensayos*. México, Editorial Orión, 1967. (Colección Literaria Cervantes). P. 19.

no agota los temas; los deja abiertos a la reflexión del autor".[39] Desde esta vertiente de la flexibilidad, Real de Azúa ve al ensayo como una reacción contra lo solemne, lo dogmático, lo pesado, lo riguroso, lo cumplido, lo final. Y, a la inversa, advierte que el ensayo incorpora las opciones del fragmentarismo, la originalidad, la improvisación, en fin, de la libertad.[40] Al definir esa flexibilidad, Real de Azúa ofrece las siguientes reflexiones:

> ... la libertad formal e intelectual del ensayo es, más que nada, cierta flexibilidad que evita el discurso rígido, que aún soslaya el estricto ajuste a un tema concreto y a un curso preestablecido, que se despega de ellos, que hace del *texto, pretexto,* que muchas veces lo aprovecha, estribándose así en él, para reflexiones ulteriores, que es movido por las luces variables —a veces caleidoscópicas— de intuiciones y de razones, de ideas, de pálpitos y (se decía) de ocurrencias.
>
> "Siempre atraerá a la actitud ensayística cierta digitación de posibilidades aparentemente superfluas, cierto afán de experimentar, de 'ensayar' reflexiones, de probar contactos, cuya remuneración es inicialmente irremediable.
>
> "Fortuna y juego le son esenciales", dice Theodor Adorno en su perspicaz (si bien arduo) texto 'El ensayo como forma' (en 'Notas de literatura', Madrid, 1962). Un 'juego' que sería responsable de esa presunta 'liviandad' de *tratamiento* que reclamaba para el ensayo no hace mucho Arturo Torres Rioseco en una formulación cargadamente impresionista y retórica y que sólo es aceptable si se la apunta hacia nociones de 'levedad', de 'libertad' y se la pone decididamente de espaldas a la previsible 'superficialidad' con que tenderá a confundírsele.[41]

7. *Actitud del autor.* El ensayista es un hombre que parece haber cultivado hasta insólitos grados su capacidad de contemplación del mundo. Ha descubierto claves para internarse en zonas de sugestividad temática que le son vedadas a quienes emplean los sentidos para percibir escuetamente y no sentir en dimensiones más profundas o en vertientes más extrañas, allí donde el detalle o el escorzo revelan singulares aspectos. La relación sujeto-objeto se da en el ensayista con especial densidad y el nivel creativo se traduce en la maravilla de una síntesis teórico-afectiva. El ensayista es, pues, un extraño contemplador que traduce su vigilia —mira y admira, percibe y padece y disfruta— en una aleación de doctrina y afecto para reconciliarse dinámicamente con el universo.

39. Lapesa, Rafael, *op. cit.*, p. 11.
40. Real de Azúa, Carlos, *op. cit.*, p. 15.
41. *Ibid.*, pp. 17-18.

Los autores de la *Antología de lecturas para el curso de español* definen así su actitud como creador:

> ¿Quién es el ensayista? Puede ser un pensador, un científico o un poeta en prosa...; pero en el fondo es un hombre, un escritor que busca comunicarse por su medio natural con el mundo, con los hombres, con la vida. Es por lo regular un hombre dotado de cultura, de inquietudes y preocupaciones espirituales, con suficiente sensibilidad como para trasmitirse a los otros, empezando por la magia de su propio yo que ha objetivado.[42]

8. *Permanencia.* El ensayo es una especie de contemporaneidad que trata de explicarse a sí misma buscando en las raíces y agitando sus alas en infinitos aires. Las raíces: el pasado. Las alas: el futuro. Los dos: indagación permanente. Dos funciones y un solo proceso. Convergencia en la superficie de la contemporaneidad y en un sector específico del mundo. El ensayo no agota sus posibilidades. Es gestión perpetua. Atrapa lo pasajero para inmovilizarlo provisionalmente, desentrañarlo y erigirlo en doctrina de proyección perdurable. El ensayo es un agente activo que transfigura la actualidad. Medardo Vitier le atribuye la función de conciliar "la actualidad con la doctrina en estilo animado".

La nota de permanencia en el ensayo es inseparable de las notas de universalidad y trascendencia. Por su libertad creadora, por su temática, por sus procedimientos, el ensayo es universal y trascendente. Su actualidad se funda en su universalidad. El ensayo ve el bosque aunque concentre en un solo árbol. El ensayo, que parece una prueba, termina como una cristalización valiosa en sí misma. Luis Ferrero define así esta condición del ensayo:

> El ensayo, tratando del hombre en cuanto es humano, es trascendente en el tiempo como en el espacio. No está limitado ni por fronteras geográficas ni épocas. Su universalidad excluye el tratar los temas de interés sólo regional o pasajero, a no ser que se saquen conclusiones que afectan a la persona como persona. A la vez, un tema de naturaleza universal se excluye cuando es tratado bajo un aspecto particular y con sólo interés momentáneo.[43]

El juicio de Real de Azúa sobre este aspecto del ensayo es el siguiente:

> ... lo que hace —evidentemente— "ensayístico" un discurso o un artículo, un bosquejo periodístico o un material de propaganda

42. UPRALect., pp. 597-598.
43. Luis Ferrero, *op. cit.*, pp. 13-14.

(incluso) es cierto potencial, siempre presente capacidad de generalización, *desde* lo concreto; una capacidad que le da duración a lo que es fugaz, permanencia, necesidad a lo contingente. Y obsérvese aquí que estos rasgos de *amplitud*, de *mediatez*, de *teoricidad*, forman parte de la esencia misma de "lo literario"; obsérvese también que, sin necesidad de caer en los alvéolos terminológicos de Croce, ellos implican *la naturaleza y el valor* al mismo tiempo.[44]

Y enfatizando este "mediatismo" del ensayo, Real de Azúa agrega:

> Pensamiento signado por un relativo *mediatismo*. Sin perjuicio del irrecusable fructificar de las ideas en la vida y en la acción, el ensayo puede delimitarse del sermón y la incitación, de la exhortación y del consejo, de todo lo que Croce llamaba *oratoria* marcada por un intromisivo *espíritu práctico*, por una urgente finalidad transformadora.[45]

9. *Naturaleza interna.* En el esfuerzo de establecer lo esencial ensayístico nos remitimos a un perfil más íntimo para descubrir allí una fuente que mezcla valores lógicos y valores estéticos, pensamiento organizado y fluencia afectiva, ideación estructurada y matización poética. La observación de esta coexistencia le justifica a Medardo Vitier la observación de que no se puede hablar de *pureza*, adscribirle *pureza*, al ensayo. Vitier lo explica así:

> No se puede hablar de *pureza* en el ensayo. El ensayo participa de dos dimensiones del espíritu: la lógica y la estética. "Por la primera, se interna en las ideas; por la segunda se espacia en más artísticas funciones. Oscila entre esos dos mundos y altera la estructura que lo gobernó en sus orígenes. Retiene, eso sí, aquellas líneas a virtud de las cuales constituye una prosa específica.[46]

El encuentro, que se da en el ensayo, entre lo estético y lo lógico, es señalado también por José Luis Martínez:

> Por su forma o ejecución verbal, el ensayo puede tener una dimensión estética en la calidad de su estilo, pero requiere, al mismo tiempo, una dimensión lógica, no literaria, en la exposición de sus temas.[47]

---

44. Real de Azúa, Carlos, *op. cit.*, p. 25.
45. *Ibid.*, p. 16.
46. Vitier, Medardo, op. cit., p. 60.
47. Martínez, José Luis, *op. cit.*, p. 10.

Martínez ve también en esta convergencia lógico-estética el origen de la diversidad tipológica del ensayo. Su conclusión es la siguiente:

> Sin embargo, hasta el juego mental más divagante y caprichoso requiere, en mayor o menor grado, de algún rigor expositivo; y justamente, en la variada dosificación de estos dos elementos: originalidad en los modos y formas del pensamiento y sistematización lógica, radican los diferentes tipos de ensayo.[48]

Viendo en el ensayo un ejemplo, en términos generales, de "literatura aplicada" y no de "literatura pura", Ferrero formula, del siguiente modo, sus observaciones sobre esta condición interna del género que estudiamos:

> En fin, no hay mucho problema en clasificar una obra como ensayo cuando el asunto expresa al hombre en cuanto es hombre. Una obra que parte de este punto es de por sí trascendental y estará basada tanto en el intelecto como en la emoción. Ambos elementos humanos, la combinación objetividad-subjetividad, deben estar presentes en el ensayo. Una obra que es el resultado solo de la inteligencia no es literatura.
>
> El género del ensayo, pues, tiene su poética y su semántica. Esta puede ser cualquier cosa dentro de la gama de la experiencia humana, y un ensayo puede ser o literatura pura o aplicada, aunque generalmente es lo último. La semántica (la materia) debe ser calificada por la trascendencia y la parcialidad.[49]

Y Lapesa trata de aclarar este perfil, señalando lo siguiente:

> El puesto del diálogo doctrinal ha sido ocupado modernamente por el *ensayo*, que apunta teoría, presenta los temas bajo aspectos nuevos o establece sugestivas relaciones sin ceñirse a la justeza ordenada necesaria en una exposición conclusa.
>
> No pretende serlo [una exposición conclusa]: la misión suya es plantear cuestiones y señalar caminos más que asentar soluciones firmes; por eso toma aspecto de amena divagación literaria.[50]

Real de Azúa logra precisar el carácter literario del ensayo a través de la siguiente argumentación:

> Su índole es artística o literaria. El carácter *literario* del ensayo puede ser más o menos notorio en cada texto y según la

48. *Ibid.*, pp. 10-11.
49. Ferrero, Luis, *op. cit.*, p. 17.
50. Lapesa, Rafael. *Introducción a los estudios literarios.* Salamanca-Madrid-Barcelona, Editorial Anaya, 1965. P. 185.

concepción que de la literatura se tenga. Al faltarle el hilo de la ficción, al penetrar en sus temas —junto con todos los resplandores de la intuición y los misterios de la *ocurrencia*— con un inequívoco aparato conceptual, el ensayo se sitúa en un tornasol entre "lo literario" y "lo no-literario" que parece ser uno de los signos más fijos de su destino.

"Pero también es cierto que de lo literario porta, no sólo la umbilical nota de personalidad, no sólo los valores (autenticidad, originalidad) a ella conexos sino —además— la realización y explotación consciente del medio verbal, el sentido de la ambigüedad y connotatividad del lenguaje, el esporádico interés en el signo por el signo mismo.[51]

Y, finalmente, los autores de la *Antología de lecturas para el Curso de Español* hacen el siguiente apunte:

Se parece a una conversación y nos permite la visualización de un todo con unidad esencial, dentro de un margen un poco contradictorio. Las disertaciones y los coloquios sugieren débilmente sustancia ensayística.[52]

10. *Génesis o surgimiento.* El surgimiento del ensayo podemos verlo como expresión de una etapa avanzada en el proceso cultural. Este sería un punto de vista histórico-social. También podríamos examinar el nacimiento de este género desde la perspectiva individual del ensayista mismo y, en este caso, nos remitiríamos a la actitud creadora y sus motivaciones y consecuencias tal como se dan en la persona del autor. Pero, ateniéndonos a la observación de la estructura misma del ensayo, podemos comprender su aparición (ésta sería una tercera visión) cuando se alcanza esa zona de disertación a través de la prosa en la cual se entrelazan lo estético y lo lógico. Los tres enfoques serían, pues, los siguientes: 1. Histórico-social; 2. Perspectiva individual; 3. Estructura.

Un ejemplo del primer enfoque lo ofrece Medardo Vitier cuando afirma que el ensayo "es género que no vive sino en medios de superior cultura". Dentro de ese contexto, José Luis Martínez visualiza el ensayo como un "producto típico de la mentalidad individualista que crea el Renacimiento y que determina —según lo ha descrito Burckhardt— 'un múltiple conocimiento de lo individual en todos sus matices y gradaciones', en forma de descripciones espirituales, biografías y descripciones externas del ser humano y de escenas animadas de la vida".[53]

51. Real de Azúa, Carlos, *op. cit.*, p. 17.
52. UPRALect., p. 596.
53. Martínez, José Luis, *op. cit.*, p. 9.

En cuanto al segundo enfoque, es decir, la visión del surgimiento del ensayo tomando en cuenta la actitud creadora del autor, sugerimos que el lector revise el apartado número siete de la puntualización que hemos elaborado para presentar los rasgos de este género; a ese apartado lo hemos llamado así: *Actitud del autor*.

Sobre el tercer enfoque, o sea, la visión a base de la estructura propia del ensayo, corresponde afirmar que adoptamos la posición de Carlos Real de Azúa, quien la expone del siguiente modo:

> El ensayo no es pensamiento *fundado* o, por mejor decir, no tiene la necesidad de fundarse a sí mismo como, con toda deliberación y todo rigor, la filosofía tiene que hacerlo. Toma, en cambio, los supuestos o el pensamiento ya dado (una ideología, un cuadro de valores, un sistema), lo recibe desde fuera sin alterar sus fundamentos, lo "repiensa", a lo más, unas veces (como lo hacía Montaigne, como lo hizo Rodó). Otras veces, más modestamente todavía, se limita a utilizarlo tal como, conclusivamente, se le ofrece y, así, refracta con él todo el cambiante panorama del mundo, la vida, los hombres.
>
> "Lo que casi nunca el ensayo acepta es seguir rigurosamente esos supuestos, obedecerlos con la militar disciplina con que la filosofía —por ejemplo— admite hacerlo y a los que aquel se hurta como si una tal, y unilateral, compulsión lo amenazara de asfixia. Adorno señala que la proclividad última del ensayo es la de la revisión y hasta la liquidación de las premisas de las que ha partido.[54]

11. *Comparación tipológica. Formas afines. Función ancilar.* Existen otros tipos de composición escrita catalogables como formas afines del ensayo. Entre el ensayo y esos tipos de composición se producen algunas tangencias por el asidero que cada cual busca, sin desnaturalizarse, en el mundo de lo estético o en el mundo de lo filosófico, o porque adoptan tono discursivo o tono poético, o porque hay aproximaciones al rigor del pensamiento o a la imprecisión que nace de un mayor peso de las emociones. Formalidad y vaguedad se atraen y se repelen, pero acusan su presencia en la tesitura ensayística. El ensayo parece, pues, intercambiar recursos con otros tipos de prosa expositiva, narrativa y discursiva, lo cual obliga, en el discernimiento sobre su naturaleza, a realizar un esfuerzo de comparación tipológica para ubicar esas formas afines y precisar, con respecto al ensayo, la participación en lo que Alfonso Reyes llamó "función ancilar" [54-a] es decir, el intercambio entre la literatura y otras disciplinas de pensamiento.

---

54. Real de Azúa, Carlos, *op. cit.*, pp. 19-20.

54-a. Reyes, Alfonso. «El deslinde». En: *Obras completas*. México, Fondo de Cultura Económica, 1963. Tomo XV, pp. 40-41.

Ferrero sostiene que, en el ensayo, "la literatura está al servicio de las otras manifestaciones del pensamiento: está en función ancilar (del latín *ancila,* servidumbre) cuando la expresión literaria sirve de vehículo a un contenido y a un fin no literarios". Y agrega:

> Hay cualidad de ensayo en todo escrito en que la literatura (la poética) está en función ancilar de las otras disciplinas del pensamiento (la semántica). Es decir, conjunción de literatura y de las otras manifestaciones del pensamiento. Cuando esto se da conjuntamente en un escrito se habla de que es un género híbrido, es decir, combinado. De ahí que la definición más breve del término *ensayo* sea la de literatura de ideas.[55]

Real de Azúa explica así esta función ancilar:

> El ensayo es, *intuitivamente interdisciplinario* (permítase la expresión tan difundida en medios universitarios). Tiende a hacer coexistir distintos planos y distintos órdenes de ideas; con la atención afincada sobre un objeto o un tema (el "estudio" al fin, el informal "poner entre paréntesis" de la fenomenología) convoca diferentes puntos de vista que pueden lograr el impacto iluminador que la metáfora alcanza. Y si las ciencias han acuñado el término arriba citado, es porque siente la novedad de estas conexiones. A veces la logra pero no le es natural el hacerlo: al ensayo, en cambio, le son tan naturales, tan espontáneas, que pueden considerarse como intrínsecas a su misma entidad.
>
> "Comencemos ya a agrupar rasgos. Personalidad, construcción, ocurrencia, multiplicidad de miras. Todo ello hace que el ensayo sea más "comentario" que "información" (para usar los abominables términos de la enseñanza media uruguaya), más "interpretación" que "dato", más "reflexión" que "materia" bruta de ella, más "creación" que "erudición", más "postulación" que "demostración", más "opinión" que afirmación dogmática, apodíctica.[56]

Hay, pues, unos caracteres diferenciales del ensayo frente a otros tipos de composición escrita. Si generalizamos rasgos diferenciales, podemos afirmar, con Medardo Vitier, que en el género ensayístico se dan dos modalidades: insistencia y revelación. Vitier las define así:

---

55. Ferrero, Luis, *op. cit.*, pp. 11-12. El texto de Alfonso Reyes sobre la función ancilar, citado por Ferrero, dice: «Entendemos por función ancilar cualquier servicio temático, sea poético, sea semántico, entre las distintas disciplinas del espíritu.» «Hay dos grandes manifestaciones de la función ancilar: una corresponde a la poética, y otra a la semántica.» *Poética* se refiere a la forma; *semántica* a la materia.

56. Real de Azúa, Carlos, *op. cit.*, p. 21.

a) *Insistencia:* Insistir en el tema, demandarle sus secretos, sus íntimas relaciones, no por vía de discurso puramente lógico como en la didáctica, sino por medios más libres y sutiles. (Insistencia no es reiteración de ideas.)

b) *Revelación:* Lo que revela un ensayo no pertenece más que en parte al "corpus" general de ideas establecidas. Su revelación enriquece lo comúnmente admitido, o lo rectifica.[57]

Y empleando un método de exclusión, adoptado por Ferrero, podemos deslindar el ensayo de otros géneros que se le aproximan, o de los cuales él participa, tomando en cuenta cuatro elementos esenciales: didáctico, trascendental, parcial y subjetivo. Fijemos el contenido de cada uno:

a. Por no ser *didáctico,* se excluye el poema en prosa, que es más bien una serie de impresiones líricas. Se falta, pues, a la estructura lógica.

b. Por no ser *trascendental,* se excluye el artículo, cuyo tema y manera de tratarlo es aleatorio. Nace de un hecho y perece con él.

c. Por no ser *parcial,* se excluyen la monografía y el tratado. Este pretende agotar un tema, tanto extensa como intensamente. Aquélla, trata de un tema con propósitos exhaustivos.

d. Por no ser *subjetivo,* se excluye el "estudio crítico", una modalidad del cual es la crítica científica.[58]

Las formas prosísticas que muestran cierta afinidad con el ensayo, pero de las cuales hay que distinguirlo, son las siguientes: el artículo, el estudio crítico, la monografía, la crítica literaria, el tratado. Señalemos sus carácteres diferenciales frente al ensayo:

(1) *El artículo*

a) Por lo común, es más breve.
b) Su tema es de más actualidad, es decir, tiene un carácter más inmediato; es de mayor interés momentáneo.
c) Su estilo es de nivel periodístico. No alcanza un estilo depurado y literario.
d) Es primordialmente informativo.
e) Está escrito en forma directa y sencilla.
f) Carece de la elaboración artística del ensayo.
g) Es más superfluo.

57. Vitier, Medardo, *op. cit.*, p. 60.
58. Ferrero, Luis, *op. cit.*, p. 20.

(2) *El estudio*

(a) Su tónica es, generalmente, de examen frío.

(b) Exige erudición. ("Y no es que el *ensayo* excluya la erudición copiosa y la sabiduría profunda, sino que en él ambas suelen estar más bien por alusión que por presencia directa, más como sustentáculo invisible que como fábrica manifiesta, aunque en ocasiones emerjan y se muestren a la vista.")[59]

(c) Su método es severo; a todos los aspectos que examina les aplica un criterio riguroso, sistemático y objetivo.

(d) Es mucho más abarcador.

(3) *La monografía*

(a) Su campo es didáctico, es decir, desarrolla su tema con fines estrictamente didácticos.

(b) Tiene limitación temática; elige muy concretamente un tema.

(c) Muestra intensidad en el estudio.

(d) El tratamiento que da al tema escogido con mucha precisión pretende ser exhaustivo.

(4) *El tratado*

(a) Tiene exceso de detalles.

(b) Es producto de la investigación científica; busca la exactitud.

(c) Está "situado en el extremo opuesto al breve artículo o a la divagación ensayística; es el estudio completo, arquitecturado y riguroso que pretende entregar toda la sabiduría existente sobre un tema; un género que la especialización de nuestro tiempo ha hecho casi desaparecer".[60]

(5) *La crítica*

(a) Está representada por varios modos (literario, artístico, histórico, filosófico, científico) de abordar, "con diferentes propósitos, alcances y rigor, los productos culturales".[61]

(b) Tiene un nivel de formalidad que el ensayo rehuye.

(c) Tiene menos libertad formal e ideológica que el ensayo.

(d) Su acento es menos subjetivo que el ensayo.

---

59. Torner, Florentino M. *Antología de ensayos.* México, Editorial Orión, 1967. (Colección Literaria Cervantes). P. 19.

60. Martínez, José Luis, *op. cit.*, p. 12.

61. *Ibid.*, p. 12.

Real de Azúa amplía este esquema comparativo para incluir lo que podríamos llamar otros "subtipos" de prosa que se diferencian del ensayo:

> El curso del pensamiento que lo crea [al ensayo] está dado por el pensamiento mismo y no por la espacialidad, la temporalidad o la ficción que suele tejerse en sus telares. Temporalidad, ficción, espacialidad que pueden (habría ejemplos, sobre todo ingleses) ser esporádicas pero que así, en bulto, hacen extraños al género las memorias y los "diarios", los viajes, las "estampas" y las descripciones; ni que decir la ficción narrativa entera.[62]

12. *Proyección.* En la exploración sobre el alcance del ensayo, podemos fijar como puntos de referencia los siguientes aspectos: su impronta como género, su función catártica o testimonial y su resonancia humana (estímulo educativo).

a) *Impacto como género.* La magnitud del cultivo del género ensayístico revela el auge alcanzado en la época moderna. La opinión general señala al ensayo, después de la novela, como la forma expresiva de mayor popularidad y cultivo en el mundo moderno.

b) En su *función catártica,* el ensayo sirve al autor como vía de exteriorización de acumulaciones subjetivas y, desde esa ladera, el género adquiere cierto valor testimonial que se traduce en registro, dilucidación parcial y sugestividad.

c) Su *resonancia humana* adopta giros que representan estímulos educativos, sin que su finalidad propia sea de orden didáctico. Ferrero ve al ensayo como estímulo del crecimiento. Esa capacidad del ensayo para estimular se deriva de su propia naturaleza de género que se solaza en contemplaciones y búsquedas. Ferrero lo expresa de esta manera:

> El estímulo educativo puede resultar en el nivel emotivo o en el nivel intelectual, o simultáneamente en ambos. Esto último influye en el crecimiento humano, y es el objetivo del ensayo.
>
> Este encuentro educativo se realiza dentro de un marco lógico, aunque el ensayo es digresivo a menudo. Montaigne dijo: "Soltando aquí una frase, allá otra, como partes separadas del conjunto, desviadas, sin designio de plan... Varío cuando me place, y me entrego a la duda y a la incertidumbre."
>
> Siendo digresivo, y con una libertad formal e ideológica, no quiere decir que no haya lógica, excepto tal vez en el desarrollo temático. El ensayo, en su estructura lógica presenta una idea, le da vueltas, e *implícita* o *explícitamente,* la *conclusión.* De otra

62. Real de Azúa, Carlos, *op. cit.,* p. 16.

manera, no sería educativo sino más bien estético. El total de impresiones presentadas en la ausencia de una estructura lógica, puede estimular la parte afectiva del hombre, pero no lo conduciría al crecimiento o al cambio vital de la personalidad plena. Esto puede ocurrir solamente cuando esté presente el intelecto, cuyo crecimiento, por lo menos en sus fases iniciales está basado en la lógica.

La calidad de ser educativo supone que el lector recree las ideas. Una vez plantada la idea, por medio de una recepción activa, el lector la incorporará en sus propias experiencias, dándole vida propia.[63]

63. Ferrero, Luis, *op. cit.*, pp. 12-13.

[illegible] total de [illegible] representados en el aumento de una estructura lógica, puede estimular la [illegible] del hombre, pero en lo [illegible] al máximo [illegible] vital de la persona plena. Esto puede [illegible] cuando esté presente el intelecto, [illegible] en la lógica.

La [illegible] de [illegible] el [illegible] las [illegible] y [illegible] de una [illegible] grandes experiencias [illegible]

III

MODALIDADES DEL ENSAYO

A. *Introducción*

Una ojeada al esfuerzo realizado en tres publicaciones para fijar, con su sesgo particular, cada modalidad ensayística conocida, arroja un resultado no exento de cierta imprecisión o arbitrariedad. Si, por una parte, la delimitación misma del ensayo frente a otras composiciones afines obliga a manejar sutilezas, por otra parte, las posibles diferencias localizables, al establecer una clasificación interna, impone la ardua tarea de una discriminación semántica a fin de indicar dónde termina una modalidad específica del ensayo y dónde comienza la otra.[64]

Tomemos tres ejemplos de clasificaciones de las modalidades del ensayo. Sus autores son José Luis Martínez (mexicano), Luis Ferrero (costarricense) y los profesores puertorriqueños que participaron en la elaboración de la *Antología de lecturas para el Curso de Español*, obra a la cual, por la paternidad pluralizada que será justo adjudicarle, la identificamos con la sigla *UPRALect.*

La primera discrepancia que aparece entre ellos es en cuanto al número de modalidades del ensayo: Martínez, 10; Ferrero, 5; *UPRALect.*, 11 (si incluímos la última puntualización presentada, que no es, propiamente, designación de alguna modalidad, sino una observación general sobre relaciones externas del ensayo).

Ferrero coincide con Martínez en la separación de dos modalidades del ensayo: el ensayo como género de creación literaria y el ensayo periodístico, pero reúne en una sola las modalidades expositiva e interpretativa para designarla con el nombre de "ensayo expositivo-interpretativo". Además, Ferrero incluye una modalidad que él llama "ensayo narrativo" y que no la hallamos en la clasificación de Martínez. A la modalidad que Ferrero llama "ensayo

64. Los autores de la *Antología de lecturas* ya citada describen del siguiente modo esta dificultad: «Frecuentemente ocurre que no se pueden clasificar en apartados claramente delimitados por su propia e interna condición de apretada heterogeneidad. La distinción, para propósitos de estudio o análisis, se hace a base de los rasgos más salientes.» *UPRALect.*, p. 597.

de exhortación-doctrinario", Martínez la incluye como "ensayo-discurso u oración (doctrinario)".

La clasificación de Ferrero presenta, pues, cinco modalidades, una de las cuales aparece en Martínez, mientras que la de éste presenta diez porque incorpora las siguientes: ensayo breve, poemático; ensayo de fantasía, ingenio o divagación; ensayo expositivo (aparte del interpretativo); ensayo teórico; ensayo de crítica literaria; ensayo-crónica o memorias, el cual es incluido por Ferrero como un sub-tipo del "ensayo narrativo".

En *UPRALect.*, por otra parte, se afirma lo siguiente: "Al hablarse del ensayo, suele circunscribirse casi inconscientemente al hecho literario. Lo más correcto sería decir que existen tantas clases de ensayos como hombres y temas hay. Por su propia flexibilidad estructural puede tocar todas las demás zonas de la lengua escrita."[65]

En *UPRALect.* aparecen, propiamente, diez modalidades, pero bajo otros rubros, como veremos oportunamente, aunque muchas de las características que se atribuye a cada una de ellas pueden sumarse a los tipos descritos por Martínez y Ferrero.

El ensayo que *UPRALect* califica como "filosófico", nosotros entendemos que debe figurar en la modalidad de ensayo expositivo-interpretativo. De igual modo, el ensayo descriptivo que, según la clasificación de *UPRALect.*, "se nutre del deseo de concretar ciertos temas científicos y los fenómenos de la naturaleza", corresponde también, según nuestro juicio, a la modalidad expositivo-interpretativa.

El "ensayo académico" de *UPRALect.* caería, según nuestro enfoque, bajo el apartado "ensayo-discurso u oración (doctrinario)", que hemos adoptado de Martínez. Por otra parte, el cuento-ensayo, el ensayo personal o familiar, la semblanza (el estudio abocetado de un carácter), la carta, los apuntes de viaje y los diarios, "que suelen vaciarse en el discurrir ensayístico", nosotros preferimos reunirlos en el apartado del "ensayo narrativo".

Todas estas formas o variantes son consideradas por *UPRALect.* como piezas que pueden tener "aliento ensayístico" o que "suelen vaciarse en el discurrir ensayístico", lo cual revela su condición de participantes, en mayor o menor grado, en lo que tendríamos que designar como "esencia ensayística".

Pero, veamos la siguiente tabla comparativa de las tres clasificaciones estudiadas:

---

65. *Antología de lecturas para el Curso de Español.* UPRALect., p. 597.

TABLA COMPARATIVA DE LAS TRES CLASIFICACIONES ESTUDIADAS EN ESTE TRABAJO

Jose Luis Martínez	Luis Ferrero	*UPRALect.*
1. Ensayo como género de creación literaria	1. Ensayo de creación literaria	1. Ensayo filosófico o reflexivo
2. Ensayo breve, poemático	2. Ensayo expositivo-interpretativo	2. Ensayo de crítica
3. Ensayo de fantasía, ingenio o divagación	3. Ensayo narrativo	3. Ensayo descriptivo
4. Ensayo-discurso u oración (doctrinario)	4. Ensayo de exhortación-doctrinario	4. Cuento-ensayo
5. Ensayo interpretativo	5. Ensayo periodístico	5. Ensayo académico
6. Ensayo teórico		6. Ensayo poético
7. Ensayo de crítica literaria		7. Ensayo personal o familiar
8. Ensayo expositivo		8. Discursos ("esquivando los vuelos de la oratoria retórica")
9. Ensayo-crónica o memoria		9. Semblanza, biografía
10. Ensayo breve, periodístico		10. Cartas, apuntes, de viaje, diarios

Hemos tratado de fundir las tres versiones y, a tono con los resultados de ese esfuerzo, proponemos la clasificación siguiente:

1. Ensayo expositivo-interpretativo. (Incluye el ensayo teórico y el ensayo filosófico, así como el científico).
2. Ensayo de creación literaria. (Incluye el ensayo poético y el de fantasía, ingenio o divagación).
3. Ensayo narrativo. (Incluye cierto tipo de crónicas y memorias, el cuento-ensayo, el ensayo personal o familiar, la semblanza, ciertas cartas y ciertos apuntes de viajes y diarios).
4. Ensayo-discurso u oración (doctrinario). (Incluye el ensayo académico).
5. Ensayo de crítica. (Incluye ensayos sobre las artes y otros aspectos históricos, sociológicos, pero la forma más conocida es la crítica literaria).
6. Ensayo periodístico.

B. *Modalidades y sus características*

¿Cuáles son las características de cada una de estas modalidades del ensayo? Reuniendo las observaciones consignadas en las tres fuentes que hemos consultado para esta clasificación, esas características son las siguientes:[66]

1. *Ensayo expositivo-interpretativo.* (Incluye el ensayo teórico y el ensayo filosófico, así como el científico.)

a) Es la forma que puede considerarse normal y más común del ensayo: exposición breve de una materia que contiene una interpretación original. (Martínez)
b) Temáticamente puede tratar desde la pura experiencia hasta conocimientos especiales.
c) La forma de tratar el tema y de desarrollarlo, es, a veces, largo, casi informal y monográfico, o, a veces, breve. (Ferrero)
d) El propósito del autor es exponer o interpretar, aunque ocurre más frecuentemente una combinación de los dos. (Ferrero)
e) Si principalmente es de carácter expositivo, es la visión sintética-analítica con toques de interpretación original lo que se destaca. Si es interpretativo, la expresión es breve, y la originalidad y la subjetividad se destacan. (Ferrero)
f) Una forma común de esta división es el ensayo de crítica literaria que, por la subjetividad, se distingue del estudio crítico-científico. Es generalmente tanto expositivo como interpretativo, y trata de un fenómeno dentro de la literatura, sea un escritor, una obra, un género, etc.; sea parcial o general. (Ferrero)
g) Incluye el ensayo teórico, que sólo un matiz lo diferencia del ensayo interpretativo, "pues mientras las proposiciones de éste discurren más libremente y se ocupan por lo general de personalidades o acontecimientos históricos o culturales, las de aquél [el teórico], más ceñidas, discurren por el campo puro de los conceptos". (Martínez)

2. *Ensayo de creación literaria.* (Incluye el ensayo poético y el de fantasía, ingenio o divagación.)

a) Es la forma más noble e ilustre del ensayo, a la vez invención, teoría y poema. (Martínez)

---

66. Adoptamos, fundiéndolas a base de la clasificación elaborada por nosotros, las características que aparecen en Martínez, Ferrero y UPRALect.

b) En su variante poemática, es más breve y menos articulado; "a la manera de apuntes líricos, filosóficos o de simple observación curiosa". (Martínez)

c) Otra variante es el ensayo de fantasía, ingenio o divagación, que es "de clara estirpe inglesa" y exige "frescura graciosa e ingenio, o ese arte sutil de la divagación cordial y honda sin que se pierda la fluidez y la aparente ligereza". (Martínez)

d) La intención del autor en este tipo de ensayo es la invención literaria. El tema puede ser cualquier cosa, pero suele caber dentro de la literatura pura. Puede variar considerablemente en extensión. (Ferrero)

e) La manera es en sí, por lo común, menos importante. El autor enfoca su atención principalmente en la forma. A veces es el estilo el que tiene la máxima importancia, y entonces es la calidad estética de la prosa lo que se destaca. Así, este ensayo a menudo se aproxima a la poesía, siendo la lógica lo que lo mantiene dentro del género del ensayo. A veces el autor presta más atención a la manera de presentar la idea. Algún elemento de la realidad, sea particular o universal, es tratado de manera que se coloca en el reino de lo trascendental. El ingenio del ensayista juega papel importante en esta clase de ensayo. (Ferrero)

3. *Ensayo narrativo.* (Incluye cierto tipo de crónicas y memorias, el cuento-ensayo, el ensayo personal o familiar, la semblanza, ciertas cartas y ciertos apuntes de viajes y diarios.)

a) En este tipo de ensayo el propósito del autor es narrar algún hecho o una serie de acontecimientos, de tal manera que puedan sacarse conclusiones, implícita o explícitamente, sean morales, estéticas o históricas. (Martínez)

b) Este tipo muchas veces toma la forma de crónicas o memorias, distinguiéndose de la crónica y de la memoria común, por la presencia de una fuerte subjetividad, a menudo intensamente íntima, que corrientemente toma la forma de juicios abundantes por parte del autor. Junto con esto hay digresiones frecuentes, que sirven de base para las generalizaciones. (Martínez)

c) Se nutre del deseo de concretar ciertos temas científicos y los fenómenos de la naturaleza. *(UPRALect.)*

d) En su variante de "cuento-ensayo" es aquel tipo de cuento que vale más como medio efectivo para presentar algunas ideas del autor que como cuento. *(UPRALect.)*

e) En su variante de "ensayo personal o familiar" nos revela fundamentalmente el carácter y la personalidad del autor. Es especie de soliloquio. *(UPRALect.)*

f) Otras composiciones que, cuando tienen cierto aliento ensayístico, podrían figurar como ensayo narrativo son: la semblanza, la biografía, la carta "bien concebida", los apuntes de viaje y los diarios.

4. *Ensayo-discurso u oración (doctrinario).* (Incluye el ensayo académico.)

a) Expresión de los mensajes culturales y civilizadores. Formalmente oscila entre la oratoria del discurso y la disertación académica, pero lo liga al propiamente llamado ensayo la meditación y la interpretación de las realidades materiales o espirituales. (Martínez)
b) El tema y la extensión de este ensayo son libres. (Ferrero)
c) Si principalmente es de naturaleza exhortativa, la intención del autor es mover a la acción, sea en el campo físico, emotivo o intelectual. Si principalmente es doctrinario, sirve de vehículo para la presentación de mensajes culturales o históricos. En este caso, es la reflexión interpretativa lo que lo coloca dentro del género del ensayo. Frecuentemente, es tanto exhortativo como doctrinario. (Ferrero)

5. *Ensayo de crítica.* (Incluye ensayos sobre las artes y otros aspectos históricos, sociológicos, pero la forma más conocida es la crítica literaria.)

6. *Ensayo periodístico.*

a) Es el registro leve y pasajero de las incitaciones, temas, opiniones y hechos del momento, consignados al paso, pero con una agudeza o una emoción que lo rescaten del simple periodismo. (Martínez)
b) Suele llamársele *ensayículo.* Este tipo es muy común, generalmente dirigido a un público grande. Por lo tanto, no suele ser tan profundo, como algunos otros tipos. (Ferrero)

IV

ORIGEN Y EVOLUCION

A. *El Oriente. La Biblia*

La formación del ensayo como género literario constituye un largo proceso que tiene remotos vislumbres en destellos esporádicos de pasajes bíblicos y en otros parciales apuntes orientales como los atisbos presentes en expresiones de Confucio (551-479 A.C.) y de su discípulo Mencio (372-479 A.C.) y en las sentencias de Laotsé (Siglo v A.C.), fundador del taoísmo. Ya parece constituir un apunte obligado la adjudicación de elementos ensayísticos a pasajes de los *Proverbios*, el *Eclesiástico* y *Sabiduría*, libros sapienciales de la *Biblia*.

Se trata sólo, en esas piezas, de unas leves señales de gestación o un impreciso aviso de semilla en perspectiva. Tardaría muchos siglos la fecundación real, definitiva. Se diluyen en esas obras las notas específicas de carácter ensayístico. Medardo Vitier dice que, "por lo demás, son brotes rudimentarios del género". Constituyen, pues, un primitivo registro de giros balbucientes en materia ensayística que se esfuman por largo tiempo y reaparecen, todavía fragmentarios, en otros momentos de la historia occidental.

B. *Grecia*

La Grecia Antigua muestra unas incipientes articulaciones ensayísticas en las obras de Herodoto, 484- A.C. *(Historias)*; Tucídides, 460-395 A.C. *(Historia de la guerra del Peloponeso)*; Jenofonte, 430-355 A.C. *(Memorabilia)*; Platón, 427-347 A.C. (*Diálogos*, obra que, por su libertad y naturalidad, influyó en Montaigne, según afirma José Luis Martínez), Aristóteles, 384-322 A.C. (*Poética*, obra que, por sus páginas dedicadas a la tragedia griega, es considerada como "el más antiguo e ilustre antecedente del ensayo crítico"; [67] Teofrasto, 372-287 A.C. (*Los caracteres*, que, según Vitier, "marca, quizá, el mejor momento a que llegó el ensayo entre los griegos"); [68] Plutarco, 48-122 D.C. *(Vidas paralelas)*, a quien consideran, junto a Séneca, como una fuente incitadora para Montaigne y Bacon.

---

67. Vitier, Medardo, *op. cit.*, p. 49.
68. *Ibid.*, p. 49.

C. *Roma*

Los autores latinos, en cuyas obras aparecen, con diversos relieves, característicos del ensayo, son los siguientes: Cicerón, 106-43 A.C. ("Cicerón representa el ensayo de matiz filosófico en sus libros sobre la vejez y la amistad", dice Medardo Vitier);[69] Séneca, 53 A.C.-37 D.C. (*Tratados morales*, libro que, junto a *Soliloquios*, de Marco Aurelio, constituye acaso la muestra "más cabal", como dice Vitier, de lo que merece considerarse ensayo); Quintiliano, 42-120 D.C. *(Instituciones oratorias)*; Plinio el Joven, 61-113 D.C. *(Cartas)*; Marco Aurelio, 121-180 D.C. *(Meditaciones. Soliloquios)*.[70]

D. *Edad Media*

Las obras representativas del espíritu medieval y en las cuales hay tendencias a seguir rumbos ensayísticos son las *Confesiones*, de San Agustín (354-430 D.C.), y la *Consolación de la filosofía* de Severino Boecio (470-524 D.C.). "Durante la Edad Media, el ensayo permanece en estado embrionario", dice Florentino M. Torner.[71]

E. *Renacimiento*

El ambiente renacentista del siglo XVI, de marcada afirmación humanística, constituyó un marco propicio para impulsar este modo peculiar de tratar en prosa, con libertad de formas y tonos, problemas, situaciones y fenómenos de todo tipo que afectan el comportamiento humano. El Renacimiento reaviva el interés en diversas obras de la antigüedad, entre las cuales figuran las de Plutarco, Séneca y Cicerón. De ahí, de esa avidez por nuevas formas expresivas, por nuevos enfoques sobre enigmas del universo y del hombre, surgirán las figuras de Montaigne y Bacon, pero, antes que ellos, el género ensayístico, aunque en etapa no muy definida, estuvo representado por Maquiavelo, 1469-1527 *(El príncipe)*; Erasmo, 1466-1536 *(Elogio de la locura)*, y Antonio de Guevara, 1480 (?) - 1545, *(Reloj de príncipes)*. "Guevara fundió en el

---

69. *Ibid.*, p. 50.

70. Bioy Casares, Adolfo. *Ensayistas ingleses*. Buenos Aires, Jackson, 1948. Tomo 15, Clásicos, p. IX. Dice que incluiría como precursores a Valerio Máximo (15 AC-35 DC), Aulo Gelio (130-190 DC) y Macrobio (IV-V DC).

71. Torner, Florentino M., *op. cit.*, p. 12.

'Marco Aurelio' [otro título para la obra *Reloj de príncipes*] y otras piezas su conocimiento de la antigüedad y su experiencia mundana. Impresionó su estilo retórico. Fue traducido al inglés y al francés en su tiempo." [72]

El nacimiento, propiamente, del ensayo, es descrito por Adolfo Bioy Casares del siguiente modo: "En el segundo piso de su decaído castillo, hacia marzo de 1571, Miguel de Montaigne inventó el ensayo." [73] Es decir, el escritor francés Miguel de Montaigne (1533-1592) es quien emplea por primera vez la palabra "ensayo" como título del conjunto de escritos suyos que serían publicados más tarde, en 1580.

¿Qué actitud se refleja en estos "essais" de Montaigne? Los "essais" revelan curiosidad intelectual, afirmación individual, espíritu renovador. El reconocimiento de las limitaciones humanas que recoge la pregunta "¿Qué sé yo?" es, al mismo tiempo, un impulso hacia la búsqueda, la indagación en zonas dudosas, un estímulo para afrontar toda vicisitud en los caminos de la inteligencia humana.

Con Montaigne, dice José Luis Martínez, nace "la línea subjetiva, libre y caprichosa del ensayo", pero éste emigra a Inglaterra y, en 1597, o sea, diecisiete años después que Montaigne, Francisco Bacon (1561-1626) publica sus trabajos con reflexiones morales en un libro que también llevará el título de *Essays*. De modo, que estas dos obras fundadoras del ensayo nacen en las dos últimas décadas del siglo XVI. Son, pues, un producto renacentista.

En este panorama histórico del ensayo, es necesario señalar en este momento la importancia de una figura como la del español Pedro Mejía, sobre quien Florentino Torner dice lo siguiente:

> ... aquel magnífico cronista del emperador Carlos V que se llamó en sus días Pero Mexía, y que hoy llamaríamos Pedro Mejía, se divirtió escribiendo una miscelánea literaria a la que dio el título muy significativo de *Silva de varia lección*. Algunos de los escritos breves que la forman parecen abrir ya el camino hacia lo que no iba a tardar en llamarse ensayo. El éxito de la obra fue notable. En 1542 corría ya en traducción italiana; diez años más tarde salió una francesa, y en 1571 los ingleses ya podían leerla en su propio idioma.
>
> El conocimiento de Mexía se anticipó en Inglaterra al de Montaigne, y es lo cierto que al mismo Francis Bacon, autor de un libro titulado Ensayos, como el del gran escritor francés, publicó otro al que llamó Silva Silvarum.[74]

---

72. Vitier, Medardo, *op. cit.*, pp. 50-51.
73. Bioy Casares, Adolfo, *op. cit.*, p. IX.
74. Torner, Florentino M., *op. cit.*, p. 20.

En España, también en la época renacentista, los hermanos Alfonso (1490-1532) y Juan de Valdés (1499-1541) reflejaban en sus obras muchas de las características del género que más tarde llamaríamos "ensayo".

F. *Siglo XVII*

El siglo XVII español muestra obras con características del ensayo como *Los sueños*, de Francisco de Quevedo y Villegas (1580-1645), y *El criticón* y *El discreto*, de Baltasar Gracián y Morales (1601-1658).

G. *Siglo XVIII*

Otra figura española se destaca en el panorama cultural del siglo XVIII: Benito Jerónimo Feijóo y Montenegro (1676-1764), cuya obra revela brotes ensayísticos. En *Teatro crítico universal* y en *Cartas eruditas y curiosas* espigan estas manifestaciones del ensayo. Torner cita las *Cartas filológicas* de Cascales (1564-1642) como una aproximación a este género, pero sostiene que Feijóo es el primero de los ensayistas modernos españoles.

En la Inglaterra del siglo XVIII aparecen los ensayos periodísticos de Richard Steele (1672-1729), quien, junto a Joseph Addison (1672-1719), funda la revista *The Tatler* (1709) que él (Steele) reemplaza en el 1711 con otra revista: *The Spectator*. Además de recoger noticias sobre sucesos corrientes, *The Tatler* publicaba "ensayos de fondo moral, de una humorística perspicacia, sobre temas de actualidad y costumbristas".[75]

El auge que alcanza el ensayo en la Inglaterra del siglo XVIII es descrito del siguiente modo por Florentino M. Torner:

> Esta nueva flora literaria halló en seguida en Inglaterra suelo y clima muy favorables, quizás porque las particulares circunstancias político-sociales de aquel país a partir del siglo XVIII hicieron sentir la necesidad de un tipo de "literatura de ideas" que, con amenidad atrayente, permitiera hablar, al público que leía, de las cosas que más podían interesarle.
>
> "Lo cierto es que desde aquel siglo en adelante Inglaterra produjo muchos y muy insignes cultivadores de este género. Y como el espíritu inglés siente marcada inclinación a decir las cosas con "humor", muchos de los ensayistas ingleses fueron —y

---

75. González Porto-Bompiani. *Diccionario de autores*. Tomo 3. Barcelona, Montaner y Simón, 1964. P. 656.

son— humoristas. Porque así como en el ensayo pueden caber todos los temas, pueden cambiar todos los tonos. Por lo tanto, puede haber humor en el ensayo, como puede haber otras muchas cosas.[76]

En Inglaterra y Francia, durante el siglo XVIII, el ensayo revela unos giros particulares, una tónica característica, que José Luis Martínez señala de la siguiente manera:

> A la línea subjetiva, libre y caprichosa del ensayo que nace en Montaigne, emigra a Inglaterra con los ensayos periodísticos de Addison y Steele, florece con Lamb [Charles Lamb, 1775-1834], Hazlitt [William Hazlitt, 1778-1830] y Stevenson [Robert Louis Stevenson, 1850-1894] y vuelve a Francia con Gide [André Gide, 1869-1951] y Alain [Emile-Auguste Chartier, 1868-1951], pronto se opone otra, expositiva, orgánica e impersonal, cuyos orígenes pueden fijarse en Bacon.
>
> "A esta última, cuyo mayor apogeo ocurre en los siglos XVIII y XIX, pertenecen las elaboradas y extensas disquisiciones dieciochescas como el *Ensayo sobre las costumbres y el espíritu de las naciones* (1756) de Voltaire [François-Marie Arouet Voltaire, 1694-1778] o el *Ensayo político sobre el reino de la Nueva España* (1811) de Humboldt [Alexander von Humboldt, 1769-1859], y en el siglo del romanticismo, los macizos ensayos críticos, filosóficos o históricos de Macaulay [Tomás Batington Macaulay, 1800-1859], Emerson [Rodolfo Waldo Emerson, 1803-1882], Thiers [Louis-Adolphe Thiers, 1797-1877], Saint-Victor [Paul Bins, conde de Saint-Victor, 1827-1881], Brunetiere [Ferdinand Brunetiere, 1849-1906] y Menéndez Pelayo [Marcelino Menéndez Pelayo, 1856-1912].[77]

H. *Siglo XIX*

Los ensayistas ingleses del siglo XIX le imprimen al género derroteros de altísima calidad. Son creadores de piezas que merecen considerarse únicas en la trayectoria del ensayo. Superan aspectos de la tradición ya establecida desde los tiempos de Bacon. Alternan humor con patetismo y con ternura. Cuidan la gracia y la claridad del estilo. Ejemplarizan el carácter proteico del ensayo. Charles Lamb, Thomas Macaulay, William Hazlitt, Thomas Carlyle, John Ruskin, William Thackeray, Mathew Arnold y Robert Louis Stevenson emplean en sus obras impresionantes recursos expresivos de la prosa ensayística en el tratamiento de una temática extraordinariamente rica en contenido humano. El ensayo inglés establece

---

76. Torner, Florentino M., *op. cit.*, pp. 18-19.
77. Martínez, José Luis, *op. cit.*, p. 11.

todo un registro de riquísimas vertientes, forjadas en la integración de diferentes temperamentos creadores. Algunos títulos, tomados al azar, pueden justificar esta afirmación. "Disertación acerca del lechón asado", "Los niños y el sueño" y "Elogio del deshollinador", de Lamb; "El placer de odiar", de Hazlitt; "De los tesoros de los reyes", de Ruskin; y "La educación y el Estado, de Arnold. "No debe omitirse, tampoco", dicen Earle y Mead, "el ensayo serio y formal, generalmente de naturaleza crítica o histórica, que se produjo en el período victoriano en Inglaterra (los últimos dos tercios del siglo XIX), y en el mismo siglo en Francia y Alemania. Entre estos ensayistas se encuentran figuras tan notables como Macaulay y Arnold en Inglaterra, en Francia, Sainte Beuve, Taine y Renan, y en Alemania, Hegel, Schopenhauer y Nietzche".[78]

En la España de la primera mitad del siglo XIX aflora un costumbrismo que adoptará giros característicos del ensayo moderno. Ese requedarse formal y conceptualmente en observaciones y visiones de usos y hábitos sociales otorgará a la pieza costumbrista un perfil de ensayo, signado con matices descriptivos, a veces de fuerte toque colorista, y con un tono, en otras ocasiones, de crítica y disconformidad. Dentro de esta corriente general del costumbrismo, insertamos, por sus perfiles ensayísticos, trabajo de Mariano José de Larra, 1809-1837 *(Artículos de costumbres)*; Serafín Estébanez Calderón, 1799-1867 *(Escenas andaluzas)*; y Ramón de Mesonero Ramos, 1803-1882, *(Escenas matritenses)*.

Pero es en la segunda mitad del siglo XIX que el ensayo comienza a cultivarse, según dice Sambrano Urdaneta, de un "modo sistemático y general" en el ámbito español y aparecen escritores como Angel Ganivet, 1865-1898 *(Idearium español)*, quien inicia y afianza plenamente el ensayo en España";[79] Francisco Giner de los Ríos, 1839-1915, y Joaquín Costa, 1844-1911, quienes representan variantes de este desarrollo. Torner dice que "el siglo XIX español e hispanoamericano ha conocido ensayistas de calidad muy escogida y de tonos muy variados. Suelen citarse en España como los más notorios Menéndez Pelayo y Juan Valera; pero la nómina podría ampliarse sin gran esfuerzo. Leopoldo Alas, «Clarín», tituló *Ensayos y revistas* uno de sus libros, y su colección de *Folletos literarios* es una espléndida colección de ensayos".[80]

Esta aceleración del paso en el ensayo, realizada por los escri-

78. Earle Peter G. y Mead Roberto G., *Historia del ensayo hispanoamericano*. México, Ediciones de Andrea, 1973. P. 10.

79. Pagán de Soto, Gladys. *El ensayo: expresión viva del pensamiento. (Guía para el maestro)*. Hato Rey, Puerto Rico, Editorial del Departamento de Instrucción Pública, 1976. (Tercera edición). P. 13.

80. Torner, Florentino M., *op. cit.*, pp. 20-21.

tores españoles de fines del siglo XIX, impulso decisivo para su extraordinaria eclosión en el siglo XX, es descrita por Earle y Mead de la siguiente manera:

> Más tarde, en las últimas décadas del siglo XIX, hombres y educadores tan notables como don Francisco Giner de los Ríos y don Joaquín Costa, por medio de sus escritos ensayísticos, impulsan a revalorar la hispanidad a los grandes ensayistas que más tarde han de surgir, como miembros de la generación conocida como del 98: Ganivet, Unamuno, Cossío, Azorín, Ortega, D'Ors, para nombrar sólo a algunos. Estos son los escritores a quienes les dolía aquella España que aquilataban, observándola como médicos, sintiéndola como místicos amantes y meditando su destino como filósofos. En el siglo actual muchos son los ensayistas españoles de talento que han seguido los caminos abiertos por las grandes figuras de esta insigne generación.[81]

Ralph Waldo Emerson (1803-1882) aparece como figura cimera en el ensayismo norteamericano. En este género se iba a distinguir también su discípulo David Thoreau (1817-1862). Otros ensayistas de mucho relieve son: Oliver Wendell Holmes (1809-1894); J. Russell Lowell (1819-1891); Henry Adams (1838-1918), autor de una famosa *Autobiografía*, y Henry George, que escribió la obra *Progreso y miseria* (1879).

I. *Siglo XX*

En términos generales, el ensayo norteamericano ha seguido el patrón inglés, aunque su desarrollo principal se ha manifestado más por la vía de la crítica literaria que por la línea de Montaigne y Lamb. Entre los ensayistas norteamericanos del siglo XX, merecen atención especial los siguientes: Clarence Day, James Thurber, George Santayana, Agnes Repplier, Christopher Morley y E. B. White.[82]

El ensayo español, que no pudo cuajar debidamente en las jornadas de la cultura hispánica a lo largo del siglo XIX, se vale del epílogo funesto de la historia española en ese siglo para aflorar en el siglo XX con una potencia singularísima, representada por figuras de extraordinaria resonancia en todos los ámbitos. José Ortega y Gasset, Miguel de Unamuno, José Martínez Ruiz (Azorín), Ramiro de Maeztu, Ramón Pérez de Ayala, Gregorio Marañón, for-

---

81. Earle y Mead, *op. cit.*, p. 10.
82. *Encyclopedia Britannica.* Tomo 8. Chicago, 1972. P. 714.

man una verdadera constelación de ensayistas, donde el juicio y el arte intercambian sustancias creadoras para iluminar vastos sectores y profundas zonas de la realidad española y de la vida humana.

Algún asomo de tendencia ensayística en Hispanoamérica es discernible en el tráfago de piezas prosísticas de la Conquista y de la Colonia, tipificadas en crónicas, diarios y cartas que, de algún modo recogen un esfuerzo de registro y examen de la realidad americana, índice de preocupaciones que otros pensadores articularían luego sobre bases más firmes. En esa trayectoria ubicamos a Francisco Javier Eugenio de Santa Cruz y Espejo (1747-1795) y a Concolorcorvo (Alonso Carrió de la Vandera, 1715 ? - 1778), precursores neoclásticos en quienes la "tendencia caviladora" de algunos cronistas y la preocupación incipiente por el contenido de la nueva vida que representa el choque Europa-América "se convierte en una amplia y muchas veces apasionada crítica sociopolítica de la colonia".[83]

Los escritores que, según Earle y Mead, echan las bases del verdadero ensayo hispanoamericano son prosistas neoclásicos y románticos que recibieron la influencia "de las ideas libertarias e iluministas de los pensadores franceses" y actuaron en los períodos de la emancipación política de las colonias españolas y en los primeros años de la vida republicana de estos países.[84] Esos prosistas son: José Joaquín Fernández de Lizardi, Andrés Bello, Esteban Echevarría, Domingo Faustino Sarmiento, Juan Bautista Alberdi, José de la Luz y Caballero y José María Luis Mora.

Otras etapas en la formación del ensayo hispanoamericano quedan resumidas por Earle y Mead:

> Florece este ensayo de actitud heroica y épica en las obras de Montalvo y Hostos, y en los últimos años del siglo XIX aparecen ensayistas significativos, positivistas e idealistas, cosmopolitas, renovadores tanto en las ideas como en el lenguaje, y dedicados a la tarea de conocer en sus raíces sus vivencias nacionales y las relaciones de éstas con la cultura occidental. En las últimas décadas del siglo escriben ensayistas hispanoamericanos neoidealistas que nada tienen que envidiar a los de otras naciones tanto por su cultura universal como por el mérito estético de sus obras. Se encauzan a desentrañar la raíz de la argentinidad, la chilenidad o la mexicanidad, etc., partiendo de valores universales y meditando sobre la influencia (nociva o benéfica) de otras culturas nacionales y de los grandes problemas mundiales de hoy. Muchos de ellos obrando así, han producido un tipo de ensayo existen-

83. Earle, Peter G. y Mead Robert G., *op. cit.*, p. 11.
84. *Ibid.*, p. 11.

cialista, angustioso, el cual se ha cultivado en casi todos los países hispanoamericanos.[85]

Pero el verdadero comienzo del cultivo del ensayo en Hispanoamérica podemos fijarlo en las proximidades del año 1900, fecha en la cual aparece *Ariel*, del uruguayo José Enrique Rodó. Vitier afirma que el ensayo es el tipo de prosa que mejor correspondió al movimiento llamado Modernismo y señala a Domingo Faustino Sarmiento (1811-1888) y a Juan Montalvo (1832-1889) como firmes antecesores de los grandes ensayistas del siglo XX. Subraya como algo curioso el hecho de que "el ensayismo es también entre nosotros un género al servicio de revisiones fundamentales", observación que echaría las bases para responder a las siguientes preguntas: ¿Cómo es este ensayo hispanoamericano? ¿Qué se propone? ¿Qué función desempeña dentro del marco de la historia y la vida de Hispanoamérica? Vitier dice al respecto:

> El ensayo hispanoamericano de los últimos cincuenta años [Vitier publica su obra en el 1945] representa, en los autores de más relieve, la conciencia de estos países.
>
> "El ensayo acude a urgencias de un mundo que estamos cimentando por acá, quién sabe si más seguro que el de contornos hispánicos, de raíz colonial."
>
> "El ensayo en Hispanoamérica ha depuesto la prestancia que le venía del Renacimiento. Fue príncipe altivo; ahora ha sido como soldado en la pelea o monje en humildes menesteres de virtud. Se leyó antaño para deleite; ahora para encender en el ánimo la pasión del trabajo y de los designios de nuestra América. Vigilante ensayo batallador, no hay en estos pueblos a la vez vivaces y dolorosos, preocupación que no haya recogido, ni peligro que no haya avisado, ni sus cultivadores se han dado punto de reposo, de Sarmiento a Hostos, a Carlos Arturo Torres, a Antenor Orrego, a Alcides Arguedas... A veces le usurpa a la novela el campo, veteándole los capítulos, o se desentiende del tumulto exterior para iluminar las zonas calladas del ser, como en los libros de Eduardo Mallea.[86]

La tarea de establecer un balance de jornadas cumplidas en el ensayo hispanoamericano tiene que incorporar las figuras siguientes como cifras insoslayables en una valoración que, incluso, arriesgue una fórmula con aspiraciones de clave inquisidora sobre la contribución individual de los ensayistas en el fortalecimiento de la tradición del género en América:[87]

---

85. *Ibid.*, p. 11.
86. Vitier, Medardo, *op. cit.*, pp. 57, 58.
87. Reunimos observaciones, recogemos en frases nuestras y utilizamos términos de Vitier y de Earle y Mead (ver obras citadas anteriormente) para

1) Domingo Faustino Sarmiento (1811-1888) y la tormenta organizadora. (Argentino)
2) Juan Montalvo (1832-1889) y el aliento universal. (Ecuatoriano)
3) Eugenio María de Hostos (1839-1903) y la emoción dialéctica. (Puertorriqueño)
4) Manuel González Prada (1848-1918) y la demolición del pasado. (Peruano)
5) José Enrique Varona (1849-1933) y el sistema para la solidaridad. (Cubano)
6) José Martí (1853-1895) y la cultura del heroísmo. (Cubano)
7) Carlos Arturo Torres (1867-1911) y una iconoclastia en América. (Colombiano)
8) Manuel Díaz Rodríguez (1868-1927) y la suntuosidad de las formas. (Venezolano)
9) José Enrique Rodó (1871-1917) y la meditación sobre nuestra cultura. (Uruguayo)
10) Rufino Blanco-Fombona (1874-1944) y el americanismo desafiante. (Venezolano)
11) José Ingenieros (1877-1925) y el espíritu renovador. (Argentino)
12) Manuel Ugarte (1878-1951) y su americanismo político. (Argentino)
13) José Vasconcelos (1882-1959) y la incitación poderosa. (Mexicano).
14) Francisco García Calderón y la fina elaboración (1883-1953). (Peruano)
15) Alfonso Reyes (1889-1959) y el señorío de la pluma. (Mexicano)
16) Pedro Henríquez Ureña (1884-1946) y la explorada identidad. (Dominicano)
17) José Carlos Mariátegui (1895-1930) y una proyección revolucionaria. (Peruano)
18) Ezequiel Martínez Estrada (1895-1964) y el escepticismo creador. (Argentino)
19) Jorge Luis Borges (1899-   ) y la fusión de lo concreto y lo abstracto. (Argentino)
20) Antonio S. Pedreira (1899-1939) y la disección de un insularismo en América. (Puertorriqueño)
21) Germán Arciniegas (1900-   ) y la historia humanizada. (Colombiano)

---

registrar los nombres de ensayistas sobresalientes y fijar la clave correspondiente que sirva para distinguirlos. Dejamos a otros la consideración, ampliación, enmienda o rechazo de este esquema.

22) Eduardo Mallea (1903-) y la "iluminación de las zonas calladas del ser". (Argentino)

23) Enrique Anderson Imbert (1910-) y la presencia humana en la literatura. (Argentino)

24) Octavio Paz (1914-) y lo heterogéneo esencial. (Mexicano)

25) Julio Cortázar (1914-) y la simbiosis de indignación y humor. (Argentino)

26) Fernando Alegría (1918-) y la sorpresa del "autocuestionamiento". (Chileno)

27) H. A. Murena (1924-) y la expiación americana. (Argentino)

28) Carlos Fuentes (1928-) y el complejo lenguaje-realidad. (Mexicano)

29) Roberto Fernández Retamar (1930-) y lo convencional despedazado. (Cubano)

30) Mariano Picón-Salas (1901-1965) y la potencia redentora de la cultura. (Venezolano)[88]

¿Cuáles son, por otra parte, las características de la evolución del ensayo en Hispanoamérica? Señalemos, por ahora, trece de esas características:[89]

1) Movimiento de lo abstracto a lo concreto, de la nostalgia del pasado a la angustia del presente.

2) Las reflexiones humanísticas de Montaigne ceden el lugar a "una dialéctica armada de datos". (Vitier)

3) Antes se leía para deleite; ahora para encender en el ánimo la pasión del trabajo y de los designios de nuestra América.

4) En su economía ideológica prepondera lo europeo, pero se ven signos de incipientes realidades de América.

5) Muestra frecuentemente un interés en caracterizar y perfilar lo poco que por acá hemos ido logrando.

6) Su riqueza expresiva y su estructura tan variada responden, en gran parte, a que la intelectualidad hispanoamericana se ha sentido siempre algo rebelde ante los géneros, reafirmando, por el contrario, cierto individualismo de forma.

7) Integración del pasado como reflejo y del porvenir como preocupación.

---

88. De acuerdo con el criterio cronológico de esta lista, Pedro Henríquez Ureña quedaría colocado después de Francisco García Calderón y antes de Alfonso Reyes. Y Mariano Picón-Salas ocuparía el lugar siguiente al de Germán Arciniegas y el anterior a Eduardo Mallea.

89. También utilizamos en esta puntualización, términos y observaciones de Vitier y de Earle-Mead, sumándoles expresiones nuestras.

8) El ensayismo hispanoamericano ha recorrido varias etapas: a- Enigma y curiosidad. b- Análisis y esperanza. c- Revisión y escepticismo. d- Afirmación y universalidad.

9) Deseo renovado de humanizar a la cultura.

10) Entronización de una enorme variedad temática, enfatizando, con las últimas promociones, "la multiplicación de las metáforas del hambre, la locura, la muerte, la dicha y el mal". (Earle-Mead).

11) "Los nuevos ensayistas han sabido encontrar el equilibrio estético adecuado entre la polémica (que dice: la realidad no es aceptable; cambiémosla) y el testimonio (que dice: la realidad es un misterio polifacético, que nos afecta de esta o de aquella manera)." [90]

12) Los nuevos ensayistas descubren la manera de no estar solos o, por lo menos, la experiencia de la soledad compartida.

13) Los ensayistas de la última promoción tienen una voluntad de plenitud literaria: experimentalidad de estilos; una temática mucho más amplia; una actitud de lucha y la convicción de que otros podrán alcanzar prestigio literario para cumplir una función rectora en la sociedad.

---

90. Las ideas expresadas en las puntos 11, 12 y 13 responden también a observaciones de los autores Peter G. Earle y Robert G. Mead, Jr. en su obra *Historia del ensayo hispanoamericano,* ya citada anteriormente. Véase la página 156 de ese libro.

V

EL ENSAYO EN PUERTO RICO

1. *Clasificación*

Podemos elaborar varios criterios de clasificación del ensayo en Puerto Rico. Uno de ellos puede fundarse estrictamente en la cronología. Otro puede escoger un tema y agrupar autores en torno a ese tema, tomando en cuenta la calidad y la cantidad de las composiciones de cada autor. También es posible combinar cronología y escuelas o movimientos culturales para trazar el desarrollo de este género en determinado país. Y otra variante de combinaciones puede ser un tema específico que sea presentado a través de un grupo de ensayistas, los cuales, a su vez, aparecen en orden cronológico. El penúltimo criterio de clasificación ha sido adoptado en Puerto Rico por Mariana Robles de Cardona[90-a] y el último por Iris M. Zavala.[90-b] A nuestro trabajo le sirve mejor el criterio aplicado por la doctora Robles de Cardona. Por limitaciones propias de la naturaleza de este estudio, es forzoso realizar una selección de ensayistas a fin de ilustrar, sin pretensiones de agotamiento de pruebas, el nivel alcanzado por el cultivo del ensayismo en nuestro país y sus posibilidades educativas, ya que su conocimiento constituye una apertura más de nuestra conciencia de pueblo y la inserción de nuestros enfoques actuales dentro de una tradición de cultura nacional.

90-a. Robles de Cardona, Mariana. «El ensayo de la generación del 30». En: *Literatura puertorriqueña.* 21 Conferencias. San Juan, Puerto Rico, Instituto de Cultura Puertorriqueña, 1960. PP. 321-340. Véase Tabla Comparativa en página 66 de este trabajo.

90-b. Zavala, Iris M. y Rafael Rodríguez. *Libertad y crítica en el ensayo político puertorriqueño.* Río Piedras, Puerto Rico, Editorial Puerto, 1973. Zavala y Rodríguez han limitado al tema político su examen de la trayectoria de nuestro ensayo. Dentro de ese marco, la visión que nos ofrecen resulta muy valiosa para la interpretación del desarrollo de Puerto Rico. Merecen mucha atención los textos que ellos han seleccionado. Véase nuestra Tabla Comparativa en la página 66 de este trabajo.

EL ENSAYO EN PUERTO RICO. TABLA COMPARATIVA DE DOS CLASIFICACIONES.

Clasificación Elaborada por Mariana Robles de Cardona	Clasificación Elaborada por Iris M. Zavala y Rafael Rodríguez
I. El Romanticismo Manuel A. Alonso, Alejandro Tapia y Rivera, Eugenio María de Hostos.	I. Colonialismo español Eugenio María de Hostos, Alejandro Tapia y Rivera, Fernando de Ormaechea, Manuel A. Alonso, Salvador Brau, Manuel Fernández Juncos, Francisco del Valle Atiles.
II. Ensayistas de Transición Antonio Cortón, Félix Matos Bernier, Luis Muñoz Rivera, José de Diego.	II. ¿Independencia o Anexión? Luis Muñoz Rivera, Rosendo Matienzo Cintrón, Vicente Balbás Capó, José de Diego, Nemesio R. Canales, Miguel Meléndez Muñoz, Manuel Zeno Gandía, Luis Lloréns Torres.
III. Ensayo Modernista Miguel Guerra Mondragón, Luis Lloréns Torres, Miguel Meléndez Muñoz, Nemesio Canales, Epifanio Fernández Vanga, Luis Villaronga.	III. Bajo el Signo Imperialista Pedro Albizu Campos, Gilberto Concepción de Gracia, Enrique A. Laguerre, Juan Mari Brás, César Andreu Iglesias, Eduardo Seda Bonilla, Juan Angel Silén.
IV. Generación del Treinta Antonio S. Pedreira, Tomás Blanco, José A. Balseiro, Cesáreo Rosa-Nieves, Antonio J. Colorado, Concha Meléndez, Vicente Géigel Polanco, Samuel R. Quiñones, Margot Arce de Vázquez, Enrique A. Laguerre, Rubén del Rosario, Ernesto Juan Fonfrías, Jaime Benítez.	IV. Cultura y Política Antonio S. Pedreira, Margot Arce de Vázquez, María Teresa Babín, Nilita Vientós Gastón, Manuel Maldonado Denis, Alfredo Matilla.

2. *El Romanticismo*

La prosa ensayística se manifiesta en Puerto Rico "desde las épocas tempranas de la introducción de la imprenta en el país", según afirma Josefina Rivera de Alvarez. Se trata de un "cultivo primerizo de la prosa montado en unas líneas generales sobre la armazón del ensayo". Ese cultivo se da "al amparo de la prensa periódica", por un lado, y, por el otro, aparece "en folletos independientes".[91]

Si la imprenta fue introducida en Puerto Rico durante la primera década del siglo XIX, es presumible que este "cultivo primerizo" del ensayo se registre durante ese período, tema que podría ser objeto de una investigación más amplia. Lo que sí es susceptible de opinión categórica es el marco o clima romántico de una primera etapa en la evolución del género ensayístico en Puerto Rico. El ensayo va a nacer, pues, bajo el signo del romanticismo. Y la gravitación de este signo se produce ya transcurrido el primer cuarto del siglo. En el *Aguinaldo puertoriqueño* (1843) aparece una selección titulada *A la virgen,* con la firma de Benicia Aguayo, y este trabajo es el único, en esa publicación, que se acerca "a la medida del ensayo".[92]

Habrá que pasar sobre el *Album* de 1844 y llegar hasta el *Aguinaldo* de 1846 para toparnos con el ensayista José Julián Acosta (1825-1891), quien publica ahí un trabajo sobre el pintor puertorriqueño José Campeche. Pero el "principal autor de ensayos" en este período será Manuel A. Alonso (1822-1889), quien revelará más palmariamente sus dotes como tal en el trabajo titulado *Carreras de San Juan y San Pedro,* recogido en *El cancionero de Borinquen,* antología publicada en el 1846. Este y otros trabajos, todos reunidos luego en el libro *El jíbaro* (1849), tratan, con agudo sentido crítico, temas de cultura, política y costumbres de Puerto Rico y con ellos, "como ha observado Laguerre, muestra ya el ensayo puertorriqueño, en sus etapas de comienzo, un espíritu de revaloración que antecede al 98 español".[93]

¿Cuáles son los rasgos principales en la prosa de Manuel Alonso?

---

91. Rivera de Alvarez, Josefina. Diccionario de literatura puertorriqueña. Tomo I. *Panorama histórico de la literatura puertorriqueña.* San Juan de Puerto Rico, Instituto de Cultura Puertorriqueña, 1970. P. 292. Convendría apuntalar este aserto con un esfuerzo de precisión encaminado a señalar las piezas, publicadas en periódicos o en folletos, las fechas de su aparición y los pasajes de ellas que muestran rasgos del ensayo.

92. *Ibid.*, pp. 292, 293.

93. *Ibid.*, p. 293.

Los estudios realizados[94] revelan lo siguiente: (1) Expresión clara y sencillez, "con algunas reminiscencias estilísticas de Larra y aun de Cervantes". (2) Mezcla de lengua hablada y lengua literaria. (3) A veces, "cuando su pluma se reviste de intenciones moralizadoras o educativas", deriva hacia expresiones retóricas y ampulosas.

Dos trabajos de Manuel Alonso que merecen un señalamiento especial son: *Escritores puertoriqueños: D. Santiago Vidarte*, y el trabajo titulado *Perico Paciencia*. El primero reúne juicios valorativos sobre nuestro desarrollo cultural a través de la figura cuya obra motiva los comentarios.[94-a] El segundo, perteneciente a la modalidad del cuento-ensayo (nosotros lo clasificaríamos dentro del tipo de 'ensayo-narrativo'), revela "su inconformidad ante el orden establecido y su anhelo de afirmación puertorriqueña, busca el embozo protector del simbolismo para darnos también en el citado libro nuestro primer ensayo de finalidad política... Acertada creación simbólica de nuestro quehacer patrio, levanta ya desde los umbrales de nuestra literatura otra constante de nuestro ensayismo: el planteamiento de nuestro destino como pueblo".[95]

La importancia de Manuel Alonso, por su actitud como puertorriqueño y su agudeza como escritor, merece a Iris M. Zavala los siguientes juicios:

> Su libro *El jíbaro*, aparece en 1849. Alonso hunde su mirada irónica en el paisaje social; aspira a reformar y en su afán por hacerlo, llega a tocar las raíces del desajuste.
>
> Aboga por el progreso, la educación, la libertad de pensamiento. Como muchos de su misma generación, ve la industria como base para un nuevo orden social. Asimismo, rechaza todo dogmatismo y limitación.
>
> En sus breves e incisivos cuadros palpita una época, y casi se puede decir que él da génesis al pensamiento progresista y democrático, que se muestra allí con sus contradicciones y deterioros.[96]

---

94. Rivera, Modesto. *Manuel Alonso, su vida y su obra*, San Juan, P. R., 1966 pp. 113-114. Laguerre, Enrique. *Un libro de Modesto Rivera*. En: *Pulso de Puerto Rico, 1952-1954*. San Juan, 1956. P. 232. Las dos obras son citadas por Rivera de Alvarez, Josefina, *op. cit.*, p. 293.

94-a. Francisco Manrique Cabrera juzga así este trabajo de Alonso sobre Vidarte: «Es lo que hoy llamaríamos cabalmente un ensayo de crítica literaria, escrito con mucho sentido y juiciosa serenidad de ánimo. A tal extremo es esto válido que hoy sería indispensable punto de partida para la revaloración definitiva de la obra de Vidarte.» (Véase: Cabrera, Francisco Manrique. *Historia de la literatura puertorriqueña*. New York, Las Américas Publishing Co., 1956. P. 92.)

95. Robles de Cardona, Mariana, *op. cit.*, pp. 321-340.

96. Zavala, Iris M., *op. cit.*, p. 7.

Con Alejandro Tapia y Rivera (1826-1882) se inicia de manera significativa el cultivo del ensayo de carácter biográfico en Puerto Rico. Sus obras *Vida del pintor puertorriqueño José Campeche* (1855) y *Noticia histórica de don Ramón Power* (1873) representan con toda dignidad este tipo de ensayo. Pero el ensayista que hay en Tapia se revela también en *Mis memorias o Puerto Rico como lo encontré y como lo dejo* (1928, publicación póstuma), así como en *Conferencias sobre estética y literatura* (1881). Mariana Robles de Cardona observa que en estas *Conferencias* "la exposición lógica de las materias presentadas se penetran de la ansiedad que le agitaba, rebasando así la fría objetividad del tratado para producir nuestro primer ensayo de erudición estética".[96-a]

Otros trabajos de Tapia fueron reunidos en el volumen titulado *Cuentos y artículos varios* (1938). Hombre de grandes preocupaciones sociales, Tapia se convierte en orientador cultural de nuestro pueblo y expone avanzadas ideas en el campo de la educación y de las reivindicaciones de la mujer. Ajusta sus procedimientos de escritor a la naturaleza del tema y, conjugando circunstancia e inquietud, hinca con la ironía o acaricia con el arte. Josefina Rivera de Alvarez describe así el carácter de su prosa:

> "La prosa de este escritor sigue cauces de sencilla elegancia y cristalina exposición, sin concesiones indebidas al verbalismo retoricista —no empecé el empleo de alguna que otra frase de sello convencional asociable al discurso encendido de tono romántico—, aun en trabajos como la balada en prosa que titula «Trabajar es orar», en la cual la emoción que permea a la palabra lírica queda convenientemente frenada por la precisión del pensamiento."[97]

¿Cuáles son los temas principales que aborda Tapia en sus ensayos? Podemos señalar los siguientes: (1) La educación como remedio a los males sociales. (2) La esclavitud como sistema envilecedor. (3) Las causas profundas del desajuste social.

La dimensión del genio creador de Eugenio María de Hostos (1839-1903) determina la magnitud de su obra, tanto en su variedad temática como en su alcance supranacional y en la riqueza de sus recursos expresivos y de su contenido ideológico. Hay aquí un profeta, un apóstol, un patriota. Lo que dice, lo que escribe, vibra como vaticinio, orienta como un faro, estremece como un nacimiento. "Moral y luces", en apoyo recíproco, diríamos, para cuajar en fórmula bolivariana la lección de esta vida, la grandeza de este espíri-

---

96-a. Robles de Cardona, Mariana, *op. cit.*, p. 323.
97. Rivera de Alvarez, Josefina, *op. cit.*, p. 295.

tu. No se trata de un oscuro hijo de las Antillas o de un alambicado producto tropical que circulara con vistosos atuendos por los litorales de América. Es el sabio que, junto a José Martí, constituye la más alta cifra de antillanidad universalizada. Ese aliento se manifiesta en la densidad de su creación ensayística. El acervo que le nutrió la inteligencia, alerta a todas las corrientes de pensamiento, estuvo primordialmente constituido, según señala Josefina Rivera de Alvarez por "las ideas filosóficas del krausismo, de una parte, y del raciocinio y experimentalismo de la escuela positivista de Comte, de otra", situándose "en la avanzada del pensamiento americano de su tiempo".[98]

Su curiosidad, tan cotidiamente vivida, hacia todos los aspectos de la vida humana, se vierte, con incomparable belleza de formas y pasmosa sagacidad de juicios, sobre escritores o aspectos de la vida en Cuba, Santo Domingo, Colombia, Perú, Chile y Argentina. Sin embargo, su mayor gloria se la otorgan sus estudios, sin parangón en América y equiparables a las mejores interpretaciones en Europa, sobre las tragedias *Hamlet* y *Romeo y Julieta,* de Shakespeare.

Los movimientos de su prosa ganan fuerza sugestiva dentro de una ejemplar sobriedad de formas. Ese decoro de la palabra dota al pensamiento de una vía poderosa para ampliar su alcance conceptual. Todo revela un excepcional dominio de recursos sugestivos que obran decisivamente en el ánimo del lector. Visualizamos, parcialmente, esos recursos, como productos de una zona donde la vivencia del propio Hostos —la encantadora tensión de su arco vital— influye para alcanzar matizaciones afectivas. Ello le imprime al estilo un lirismo convincente por la sinceridad que rezuman esas líneas hilvanadas por mano de hombre incorruptible, ávido de la más ancha y profunda solidaridad humana.

La inquietud hispanoamericana de Hostos, importante aspecto de su repertorio de fervores, justifica las siguientes expresiones de Mariana Robles de Cardona:

> ...nuestro primer ensayista de talla continental, trata de hermanar en una misma visión los rasgos permanentes de los pueblos hispanoamericanos. Es el primer puertorriqueño que busca los lazos profundos que unen al mundo hispanoparlante. En el fondo de su fervor latinoamericano late el amor por su país natal, sentimiento al que abre ancho cauce en muchos de sus ensayos y artículos y en su novela *La peregrinación de Bayoán.* En esta obra —en cuyas páginas muchas veces el ensayo usurpa el campo

98. *Ibid.*, p. 295.

a la novela— se expone otra vez en nuestra literatura, aunque en forma alegórica, el problema de la realidad puertorriqueña.[99]

Por otro lado, Iris M. Zavala explica el vasto mundo temático de Hostos y sus ardientes motivaciones, señalando los siguientes aspectos:

> La labor de Hostos es compleja y abarcadora: la educación, el progreso, la industrialización, la libertad, la independencia, el panamericanismo. Su programa de reforma contiene todos los elementos progresistas y democráticos lanzados por las escuelas filosóficas triunfantes en Europa y América: krausismo, positivismo, socialismo utópico.
>
> [Su pensamiento] descansa en una concepción de igualdad radical y social. Figura entre los primeros pensadores en plantear el problema del negro, del cholo, del indio.
>
> Lo animó siempre la creencia en América como patria de justicia y libertad. La enseñanza, la educación serían la base de las reformas espirituales y del mejoramiento social.[100]

Francisco Manrique Cabrera afirma que "Hostos fue, como escritor, esencialmente ensayista", aun cuando "el género del ensayo como tal, no se hubiese popularizado tanto en español para la hora de Hostos". Cabrera cita como ejemplos de la vocación ensayística en Hostos los siguientes trabajos: *En la exposición;* sus consideraciones sobre la tierra argentina; *La cuna de América;* y sus apuntes sobre grandes figuras del Continente, pero sostiene que "lo más conocido del Hostos ensayista sigue siendo su crítica literaria, sobre todo, en lo que al teatro respecta".[101]

Acaso sea la más atinada definición del drama interior que vivió Hostos la que Francisco Manrique Cabrera formula en dos oraciones: "Los más extraños escrúpulos le asaltaron, y por ello resultaba lento para hombre de 'acción'. Cuidaba demasiado de vivir al exacto nivel de sus propias palabras."[102]

Otros escritores que, durante el siglo pasado y comienzos del presente, cultivaron también la prosa ensayística, destacándose en variantes de temas y procedimientos, fueron los siguientes:

José Julián Acosta (1825-1891), autor de trabajos sobre escritores puertorriqueños y españoles y sobre temas de economía, educación, agricultura, biografía, historia y tradiciones.

Manuel Fernández Juncos (1846-1928), quien publica una serie de ensayos biográficos sobre puertorriqueños ilustres. También

---

99. Robles de Cardona, Mariana, *op. cit.*, p. 323.
100. Zavala, Iris M., *op. cit.*, p. 9.
101. Cabrera, Francisco Manrique, *op. cit.*, pp. 167-168.
102. *Ibid.*, p. 168.

cultivó el ensayo de crítica literaria. Otros temas de sus trabajos fueron la historia, la pedagogía y la realidad social. Zavala señala que Fernández Juncos dirige "patéticos reproches contra la pobreza, la prostitución, la ignorancia de las clases trabajadoras, la emigración, el ambiente moral en que discurriría la vida del obrero y la del trabajador del campo".[102-a]

Carlos Peñaranda (1848-1908), que escribe trabajos de apreciación crítica sobre escritores puertorriqueños y otras composiciones sobre el paisaje, la música, la educación, la economía y las costumbres de Puerto Rico.

El ensayo de crítica de las letras y de arte cuenta también entre sus cultivadores a varios escritores del período romántico: Francisco Mariano Quiñones, 1830-1908 (Trabajos sobre Emilia Pardo Bazán; la influencia de las bellas artes en el carácter de los pueblos.); José María Monge, 1840-1891 (Ensayos sobre viajes y sobre el realismo literario.); Manuel de Elzaburu (1851-1892). Autor de ensayos de temas literarios y educativos, "la prosa de este escritor manifiesta en ciertos escritos señaladas actitudes renovadoras que lo apartan de las sendas ya trilladas durante la centuria".[102-b]

3. *Transición*

Entre la etapa romántica y la etapa modernista del ensayo puertorriqueño hay un momento de transición y ese momento está representado por Antonio Cortón (1854-1913), Félix Matos Bernier (1869-1937), Luis Muñoz Rivera (1859-1916) y José de Diego (1867-1918).

La época de transición que viven estos ensayistas define sus contornos bajo el signo de un acontecimiento: la ocupación de Puerto Rico en el 1898 por tropas del ejército norteamericano como resultado de la guerra entre España y los Estados Unidos. Ello provoca un cambio de perpectiva y tono a nuestra literatura y ese año muestra una "doble coyuntura histórica y artística —dominación política norteamericana y entrada de las primeras manifestaciones del nuevo estilo modernista"—, abriendo en Puerto Rico, "una divisoria con el pasado". Los escritores que viven este momento recogerán en su obra "aquella época que en lo político se caracteriza por la incertidumbre —período de breve esperanza de una solución inmediata del destino de Puerto Rico bajo el gobierno

---

102-a. Zavala, Iris M., *op. cit.*, p. 10.
102-b. Rivera de Alvarez, Josefina, *op. cit.*, p. 301.

norteamericano, seguido por otro de estupor expectante—, y en lo artístico, por la superposición de épocas y escuelas: coexistencia del romanticismo y naturalismo con los primeros atisbos del modernismo".[103]

Muchos ensayos de Cortón (autor del libro *Pandemonium*, 1889) manifiestan su devoción por los valores de la libertad, la justicia, la generosidad, la belleza. A ese cuadro de preferencias se incorpora su amor hacia Puerto Rico que le motiva la defensa del ideal autonomista.

La prosa de Matos Bernier "anuncia ya —por su doble fondo contradictorio de objetividad y subjetividad— la sensibilidad introspectiva y lírica de nuestros ensayistas".[104]

Luis Muñoz Rivera (autor del ensayo *¿Hasta cuándo?*) y José de Diego (autor del ensayo *No.*) cultivan la prosa en una intensa y vasta labor como articulistas, pero, en muchas ocasiones, trascienden los límites de esa modalidad y cuajan ensayos que revelan preocupación por nuestro destino colectivo o intentan penetrar en nuestra caracterología. Por las tangencias de tono, temas y actitudes que muestran sus obras, a ellos habría que agregar la figura de Rosendo Matienzo Cintrón (autor del trabajo "La guachafita"), escritor incisivo, impugnador punzante de la realidad social y político del Puerto Rico de su tiempo.

4. *Modernismo*

El ensayo modernista en Puerto Rico revela, a través del escritor Miguel Guerra Mondragón (1880-1947) "el culto por la forma; ansia de cosmopolitismo; inquietud por descubrir lo peculiar puertorriqueño, interés que coincide con el de toda América Latina por descubrir lo esencial americano desde los primeros albores del modernismo".[105]

Los otros ensayistas principales de esta época y las notas que podríamos destacar en ellos son:

Luis Lloréns Torres (1878-1944): exploración en el mundo campesino y en nuestro paisaje; cultiva el ensayo de carácter poético-descriptivo.

Miguel Meléndez Muñoz (1884-1966): enfoque de la problemática rural, los factores socio-económicos y el carácter, creencias y costumbres del jíbaro; tono poético, muchas veces, al tratar el paisaje puertorriqueño.

103. Robles de Cardona, Mariana, *op. cit.*, p. 325.
104. *Ibid.*, p. 326.
105. *Ibid.*, p. 326.

Nemesio Canales (1878-1923): visión satírico-humorista de nuestra realidad; exaltación de los valores del individuo frente al poder coercitivo de los dogmatismos sociales, morales, intelectuales o políticos, según dice Mariana Robles de Cardona.[105-a]

Hay un rasgo general del ensayo modernista en Puerto Rico que merece, por lo menos, ser consignado. Se trata de un tipo de prosa que atrajo a los escritores modernistas de otros países. No abunda entre nuestros escritores modernistas el tipo de prosa de carácter primordialmente "esteticista". Manrique Cabrera se pregunta y responde: "¿Explicación? Tal vez en páginas anteriores subrayamos, a saber: el capital problema isleño, al marcharse el siglo pasado y abrirse el presente, problema de *ser* o de dejar de ser, no daba reposo ni posada al puro y desinteresado planteamiento esteticista. De ahí que los cultivadores de la prosa que acusan verdadero relieve en el período de reafirmación que realiza el modernismo aquí, dirigen su interés central hacia planteos urgenciales en lo inmediato." [105-b]

5. *Generación del Treinta*

En lo que respecta al ensayo, la llamada Generación del Treinta, "la primera generación de intelectuales puertorriqueños que se forma en el país bajo la nueva soberanía y adviene a su madurez pensante hacia los tiempos del veinte"...,[106] muestra un nivel de mayor exigencia y abre el potencial creador hacia una diversidad temática (política, história, estética, sociología, ética, filosofía) que los autores abordan con un firme propósito: robustecer la personalidad nacional puertorriqueña frente a la amenaza de absorción representada por el dominio colonial norteamericano en nuestra patria.

¿Qué caracteriza al ensayo cultivado por la Generación del Treinta? ¿Hacia dónde apunta su cultivo? ¿Cuáles son sus proyecciones? La obra realizada por los ensayistas del Treinta, tomada en conjunto, aglutina diversos factores y reúne una inmensa variedad de rasgos que representan el diseño de un portentoso repertorio de inquietudes y recursos en el examen de la realidad puertorriqueña. Señalemos, por lo menos, una serie de objetivos fundamentales:

1. Incorporar al medio puertorriqueño las corrientes de renovación estética que están surgiendo en Occidente.

105-a. *Ibid.*, pp. 326-327.
105-b. Cabrera, Francisco Manrique, *op. cit.*, p. 261.
106. Rivera de Alvarez, Josefina, *op. cit.*, p. 431.

2. Proclamar la necesidad de reformas sociales, morales, políticas y económicas.

3. Precisar los perfiles de la dimensión puertorriqueña para poder avanzar hacia el futuro, con personalidad propia, por entre lo español y lo norteamericano.[107]

4. Interpretar a fondo lo jíbaro como medida de lo criollo puertorriqueño.

5. Inquietar mentes y conciencias en la búsqueda de las verdades eternas y de los altos valores.

6. Formular una nueva interpretación de nuestro pasado histórico que sirva de base para la creación de una conciencia de patria y de la construcción de nuestro futuro.

7. Proclamar la necesidad de la educación como único camino de solución para nuestros problemas junto a la crítica reiterada de nuestra institución educativa, imperante en la época, de tipo bilingüe.

8. Renovar la lengua literaria a fin de buscar la exactitud del concepto como un resultado del intento de superar los elementos románticos y modernistas mediante la disociación de lo emocional y lo intelectual. "De menos resonancia íntima, la palabra tratará

107. Es oportuno reproducir el marco de referencia hispanoamericano que Iris M. Zavala describe para insertar allí estos afanes de la ensayística puertorriqueña durante ese período. Dice Zavala: «El ensayo puertorriqueño de estos años refleja el movimiento de ideas hispanoamericano aunque en tono menor. A aquél primer redescubrimiento de América, pregonado por los intelectuales del siglo XIX, le sigue ahora un movimiento de exaltación nacionalista, que se manifiesta en todos los países. En 1928 Pedro Henríquez Ureña publica *Seis ensayos en busca de nuestra expresión;* Juan Marinello, *Sobre la inquietud cubana* (1930); Mariano Picón-Salas, *Hispanoamérica, posición crítica* (1931); Ezequiel Martínez Estrada, *Radiografía de la pampa* (1933); Samuel Ramos, *El perfil del hombre y la cultura en México* (1934); Eduardo Mallea, *Conocimiento y expresión de la Argentina* (1935), *Historia de una pasión argentina* (1937). Véase Zavala, Iris M., *op. cit.*, p. 30. En la indagación caracterológica de Hispanoamérica habría que incluir, entre otros, los siguientes libros: Ricardo Rojas, *Eurindia* (1924); José Vasconcelos, *Indología, La raza cósmica* (1925); Carlos Octavio Bunge, *Nuestra América* (1926); Enrique Bernardo Núñez, *Una ojeada al mapa de Venezuela* (1935); Alberto Zum Felde, *El problema de la cultura americana* (1943); Mariano Picón-Salas, *Comprensión de Venezuela* (1941); Felipe Massiani, *Geografía espiritual* (1949); Alberto Gerchunoff, *Argentina, país de advenimiento* (1952); H. A. Murena, *El pecado original de América* (1954); Víctor Massuh, *América como inteligencia y pasión* (1955); Antonio Gómez Robledo, *Idea y experiencia de América* (1958); Ernesto Mayz Vallenilla, *El problema de América* (1959); Alberto Caturelli, *América bifronte* (1961); Arturo Uslar Pietri, *Tierra venezolana* (1965), *En busca del Nuevo Mundo* (1969); H. Ernest Lewald, *Argentina, análisis y autoanálisis* (1969; Leopoldo Zea, *Latinoamérica y el mundo* (1960), *La esencia de lo americano* (1971).

de ser ahora exacta, surgiendo así una prosa más lógica. El ensayo se hará más preciso. La visión subjetiva y literaria va a ser substituida por una más objetiva, más atenta a la realidad puertorriqueña del momento. En sus estilos abundarán las palabras de pura tradición boricua sometidas a juegos filológicos de ingenio, en su afán de extraer de ellas la escondida substancia criolla. En suma, tratarán de identificarse con lo más intransferible del alma de nuestro pueblo que pretenden definir." [108]

9. Condenar el criollismo exclusivista y señalar los peligros del aislamiento. Afirmar lo específico nuestro y, al mismo tiempo, buscar los valores universales.[109]

Todo este programa de acción cultural, concebido por la Generación del Treinta, hallará en el ensayo un instrumento muy eficaz de exposición, interpretación y defensa hasta el punto que "los caracteres de magno desarrollo que alcanza su cultivo lo sitúan en primer plano como medio de expresión de las letras isleñas".[110] El ensayo "asume en este momento un carácter de cruzada ideológica más consciente que en los momentos anteriores".[111]

Los ensayistas que, desde sus particulares ángulos de enfoque, recogen en su obra, con mayor o menor relieve, estos objetivos, son los siguientes: Antonio S. Pedreira (1899), Tomás Blanco (1898), José A. Balseiro (1900), Cesáreo Rosa-Nieves (1901), Emilio S. Belaval (1903), Antonio J. Colorado (1903), Concha Meléndez (1904), Vicente Géigel Polanco (1904), Samuel R. Quiñones (1904), Margot Arce de Vázquez (1904), Enrique A. Laguerre (1906) y Rubén del Rosario (1907).

6. *Ensayistas del Cuarenta, Cincuenta, Sesenta y Setenta*

Si después de la Generación del Treinta siguiéramos deslindando por décadas el desarrollo del ensayo en Puerto Rico, las agrupaciones de autores podrían ser, con mayor o menor precisión, las siguientes: [112]

---

108. Robles de Cardona, Mariana, *op. cit.*, p. 330.
109. Los primeros cinco puntos en esta enumeración pertenecen a la exposición de Josefina Rivera de Alvarez en la obra ya citada. Los otros son presentados por Mariana Robles de Cardona en la obra, también citada a lo largo de este trabajo.
110. Rivera de Alvarez, Josefina, *op. cit.*, 432.
111. *Ibid.*, p. 329.
112. El criterio de agrupación no se fundaría tanto en el año de nacimiento del autor, sino en el momento en que se manifiesta como ensayista. Es

a. *Del Cuarenta*

(1) *Crítica de Letras:* José Emilio González, José Ferrer Canales, Francisco Matos Paoli, Angel Luis Morales, René Marqués, Francisco Arriví, María Teresa Babín, José Antonio Torres, José Luis Martín.

(2) *Educación:* Ramón Mellado, Ismael Rodríguez Bou, Adolfo Jiménez Hernández, Efraín Sánchez Hidalgo.

(3) *Filosofía:* Domingo Marrero Navarro, Angel M. Mergal, Monelisa L. Pérez Marchand, José M. Lázaro, José A. Fránquiz.

(4) *Historia:* Isabel Gutiérrez del Arroyo, Arturo Morales Carrión.

(5) *Interpretación crítico-satírica:* Salvador Tió.

Los escritos del Cuarenta abrirán un cauce más amplio y más sólido a la tendencia universalista que asomaba en la obra de la Generación del Treinta, pese al afán primordial de esclarecimiento y de asidero en lo criollo. La experiencia de los escritores del Treinta ofrecerá a los nuevos cultivadores del género un estímulo, una perspectiva y un apoyo para rastrear en diversas vertientes de la cultura universal y enriquecer el acento propio. A estas alturas ya han quedado definidas muchas fases de nuestro desarrollo y el perfil de la cultura nacional aparece con lineamientos más nítidos. Ello dinamiza al nuevo escritor para batallar con el presente y trazar pautas en el proceso de transformación hacia el futuro. Medir la distancia recorrida, afirmar la postura actual, garantizan mejores recursos para preparar el porvenir. Este proceso y esta situación se dan en el escritor nuevo que, por otra parte, acarreará otros materiales, que facilitan los nuevos medios de comunicación, para neutralizar bastante la amenaza de aislamiento y de soledad que cerraba horizontes y contagiaba de pusilanimidad y derrotismo. Ver más claro en los síntomas de un mal fortalece la voluntad para combatirlo, aun cuando se manifiesten, también en figuras señeras, ciertas postulaciones transidas de escepticismo.

b. *Del Cincuenta*

(1) *Crítica de letras:* Josefina Guevara Castañeira, Juan Enrique Colberg.

(2) *Ensayo poético:* Ester Feliciano Mendoza.

(3) *Ensayo histórico-cultural:* Eugenio Fernández Méndez.

---

posible, pues, que incurramos en alguna inclusión arbitraria. Veamos, simplemente, en este esquema, unas posibilidades de ubicación que, reconocemos, puede ser discutible.

(4) *Ensayo de tema político:* César Andreu Iglesias, José Arsenio Torres, Severo Colberg, Juan M. García Passalacqua, Milton Pabón, Manuel Maldonado Denis.

c. *Del Sesenta*

(1) *Crítica de letras:* Ramón Cancel Negrón, Edilberto Irizarry Acarón.

(2) *Ensayo narrativo:* Selma Berthélemy.

(3) *Tema educativo:* Miguel Nieves Aponte.

d. *Del Setenta*

(1) *Crítica de letras:* Efraín Barradas, Arcadio Díaz Quiñones, Mercedes López Baralt, Alfredo Matilla, Sotero Rivera Avilés, Esteban Tollinchi, José Ramón de la Torre, José Juan Beauchamp, José Ramón Meléndez, Reinaldo Padua, Edwin Reyes, Rosario Ferré.

(2) *Tema histórico-social:* Iris M. Zavala, Luis Rafael Sánchez, Pedro Juan Rúa, Mariano Muñoz.

(3) *Tema económico:* Andrés Sánchez Tarniella.

(4) *Tema educativo:* Miguel A. Riestra.

(5) *Tema estético:* José Luis Méndez.

(6) *Tema histórico:* Carmelo Rosario Natal, Juan Angel Silén.

(7) *Tema linguístico:* Lucrecia Casiano, Eliecer Narváez.

(8) *Tema político:* Juan Mari Brás, Wilfredo Matos, Milton Pabón, Antulio Parrilla.

(9) *Tema social:* Enrique Blanco Lázaro, Carlos Buitrago Ortiz, Luis Nieves Falcón, Angel Quintero Rivera, Eduardo Seda Bonilla.

(10) *Tema deportivo:* José E. Ayoroa Santaliz, Jaime Córdova, Elliot Castro, José Luis Ramos.

A partir de la década del Cuarenta, en Puerto Rico han surgido numerosas publicaciones periódicas que han sido depositarias, entre otros trabajos literarios, de diversas manifestaciones ensayísticas. Esas revistas son:

1. Asomante
2. La Torre
3. Revista del Instituto de Cultura Puertorriqueña
4. Guajana
5. Bayoán
6. Versiones
7. Palestra
8. Avance

9. La Escalera
10. Zona de Carga y Descarga
11. Ventana
12. Educación
13. Puerto
14. Diálogos
15. Undécima Tesis
16. Creación
17. En el País de los Tuertos
18. Periódico EL MUNDO (Página Literaria)
19. Periódico CLARIDAD (Suplemento En Rojo)
20. Crítica

Un estudio sobre estas revistas ayudaría a describir el proceso de nuestro ensayismo en los últimos cuarenta años y ofrecería elementos de juicio para ubicar adecuadamente a sus cultivadores. Ese estudio, que supone una labor paralela en publicaciones individuales, facilitaría la respuesta a muchas preguntas sobre temas preferidos, características formales y magnitud de la obra realizada por cada autor.

Sobre la marcha de este trabajo, en lo que respecta a la agrupación de los ensayistas, ha ido surgiendo la tendencia de ofrecer nombres de autores nuevos como exponentes del cultivo del ensayo en determinado decenio. De ahí que, en algún momento, el nombre consignado pueda suscitar cierta sospecha por la aparente irrelevancia que, a veces, se le atribuye juzgándolo por el silencio posterior a su primer esfuerzo creador. Es posible que en esa misma época (decenio) los escritores ya reconocidos e incorporados a otro tiempo hayan publicado obras muy significativas. ¿Cómo destacar, entonces, esta obra significativa? El estudioso tendrá que adoptar un criterio de valoración, el cual puede estar fundado en la respuesta que dé a esta pregunta: ¿Qué nivel de actualidad alcanzó dicha obra en ese momento? De todos modos, se plantean siempre, al investigador que elabora visiones de conjunto, los siguientes problemas:

¿Bastará la publicación de un solo libro para señalar como ensayista a un autor e incluirlo en determinado período? ¿O sería necesario determinar el alcance de la obra para hacer el respectivo señalamiento?

¿Cómo ubicar al autor que publica obras en años muy distantes entre sí? ¿A base de la importancia que le atribuyamos a cada una de ellas?

¿Cómo determinar las características generales de una generación de escritores?

¿Cómo descubrir la sincronización entre las características de un autor estudiado y el clima de la época que ha vivido? ¿Facilita esta labor la cercanía de esa época?

VI

TECNICAS APLICABLES EN LA ENSEÑANZA DEL ENSAYO

A. *Introducción*

La enseñanza del ensayo como género literario debe fundarse en la formulación de los siguientes problemas: (1) ¿Por qué fue escrito este ensayo? (2) ¿En cuáles circunstancias se dio esta fecundación artística? (3) ¿Qué se propuso comunicar el ensayista? (4) ¿Cómo pudo el ensayista alcanzar o aproximarse a su objetivo? La respuesta a cada una de esas preguntas supone una intensa actividad escrutadora en el laberinto de las motivaciones, los propósitos y los procedimientos estéticos.

Un ensayo no es una acumulación caprichosa de observaciones ni un arbitrario depósito de datos ni un registro de imágenes inconexas. Un ensayo es una totalidad estética que convoca la convergencia de autor, materia y lector en función solidaria que implica el establecimiento de una estructura lógico-afectiva cimentada en una interna libertad de formas expresivas y de abordajes matizados por la personalidad del autor y la naturaleza del tema. La inteligencia, auxiliada por la impronta afectiva, capta, de inmediato, un escorzo, el cual, mediante subsiguientes operaciones de observación, análisis y asociación, se irá definiendo y situando en sus contornos más precisos. La confrontación, en este plan, con el ensayo, semeja un estado de curiosidad volcada sobre un tejido cuyo análisis requeriría rastrear la trayectoria de sus hilos para entender la totalidad de la obra realizada con ellos. O, apelando a imágenes más trilladas, diríamos que una situación como ésta obliga a caminar entre los árboles para alcanzar la visión del bosque.

¿Cuál es el mensaje que el ensayista anhela comunicar? ¿Por qué prefiere tratar determinado tema? ¿Qué método, cuáles recursos, él emplea en el tratamiento del problema motivador de su escrito? Es observable la existencia de una idea básica en torno de la materia que todo autor examina, no importa la perspectiva que él adopte. Sin embargo, el lector no debe limitar su papel o su función al discernimiento de la materia que el autor ventila, sino que deberá prestar atención al tejido de expresiones sobre esa materia. Si vemos el ensayo como una pieza estética constituida por palabras llenas de sentido porque, de algún modo, se organizan para alcanzar un fin, es necesario considerar la concatenación de esas palabras en su función encaminada al esclarecimiento, al fortalecimiento, de la idea central. La tarea de penetrar en la estructura de un ensayo implica reconocer las ideas principales, así como las observaciones o indicaciones aleatorias y el método empleado en la elaboración de los párrafos y en el esclarecimiento de sus nexos.[112-a]

Pero un ensayo, según dice Elsa Baiz de Gelpí, es mucho más que una estructura de ideas. Es también una expresión de la personalidad. Es el modo particular adoptado por una persona para ver el mundo. Este modo particular de ver y sentir se proyecta en la palabra escrita y se convierte en un estilo, en *su* estilo. Esta manera única de reaccionar frente al mundo le diseña un objetivo a su obra y este objetivo, por su parte, marca el tono, el léxico y los giros expresivos que habrán de caracterizar a la obra. ¿Se propone el autor divertir, convencer, inquietar o, simplemente, suministrar ciertos datos?[113]

El ensayo, en su manifestación más auténtica, constituye una convocatoria para un diálogo creador entre autor, materia y lector. Ese marco de relación facilita un cotejo de experiencias entre el lector y el autor y, como corolario, afloran discrepancias o coincidencias. Esta convergencia dinamiza al lector, enalteciendo su función en la experiencia que comparte con el autor y su obra. Van articulándose, entonces, preguntas fundamentales sobre motivaciones, propósitos y proyecciones de la obra estudiada. La respuesta que el lector ofrezca a estas preguntas constituirán el mejor índice del grado de participación en la experiencia creativa. Ello revelará al lector una presencia humana detrás de las palabras: la presencia del autor. Lector y autor alcanzarán entonces el mejor punto de convergencia.

B. *Objetivos generales. Métodos correlativos. Proposiciones*

La enseñanza del ensayo puede trazar tres objetivos fundamentales: adquirir o mejorar ciertas destrezas; abrir la posibilidad de una experiencia que amplíe los conocimientos del educando; estimular la sensibilidad para forjar actitudes que constituyan puntos de partida en el proceso de enriquecer la visión del mundo, lo cual

---

112-a. Véase: Baiz de Gelpí, Elsa. *Meet the Essay*. Río Piedras, Puerto Rico, University of Puerto Rico, 1970. P. 3.

113. *Ibid.*, p. 3. Sigo aquí adoptando, mediante una versión bastante personal, las ideas expresadas y el esquema empleado en la obra citada anteriormente.

propenderá a ofrecer elementos que realcen la condición humana y faciliten la comprensión de la cultura nacional y le otorguen así un sentido a la propia vida.

Veamos el desglose que podemos realizar en estos objetivos generales para fijar los pasos específicos hacia su consecución:[114]

1. *Destrezas:* a. Captar y expresar la idea central. b. Distinguir el asunto, los temas y subtemas. c. Establecer analogías y diferencias entre las ideas del autor y las ideas de otros ensayistas. d. Definir los rasgos estilísticos en la composición estudiada y establecer semejanzas y diferencias entre los autores en cuanto a:

   (1) Vocabulario.
   (2) Figuras de retórica: imágenes, metáforas, símiles, personificación, antítesis y paradojas, hipérboles y eufemismos, enumeraciones y gradaciones, símbolos, alegorías, ironía, apóstrofes, preguntas retóricas, exclamaciones y animalización.
   (3) Adjetivación.
   (4) Modo y tiempo de los verbos.
   (5) Sintaxis. Clases de oraciones.
   (6) Formato o estructura.
   (7) Determinar el grado en que la narración y la descripción han servido al autor como modos auxiliares del otro modo de elocución, predominante en el ensayo y que conocemos con el nombre de "modo expositivo".

   e. Figuras de construcción: hipérbaton, pleonasmo, elipsis, anáfora, retruécano.
   f. Bosquejar, brevemente, las ideas expuestas en el ensayo.
   g. Distinguir el ensayo entre otros géneros literarios.

2. *Conocimientos*

La enseñanza del ensayo debe establecer como uno de sus objetivos la capacitación del estudiante para que, finalmente, pueda responder a las siguientes preguntas:

a. ¿Qué es el ensayo como género literario?
b. ¿Qué características lo distinguen de los demás géneros?
c. ¿Cuándo nació el ensayo propiamente?
d. ¿Por qué el creador del ensayo lo llamó así?

---

114. Pagán de Soto, Gladys. *El ensayo: expresión viva del pensamiento.* Hato Rey, Puerto Rico, Departamento de Instrucción. Pública, 1976. (Tercera edición). PP. 2-5. Reproducimos aquí, con algunas interpolaciones nuestras, las proposiciones que, sobre este aspecto funcional, formula la autora.

e. ¿Qué temas pueden tratarse en el ensayo?
f. ¿Cuáles son los escritores de lengua hispana que lo han cultivado en el pasado y en el presente?
g. ¿Por qué es uno de los géneros preferidos de los intelectuales contemporáneos?
h. ¿De cuáles fuentes podemos valernos para seguir leyendo ensayos?

3. *Actitudes*

La enseñanza del ensayo debe echar las bases de un mejoramiento en los siguientes aspectos:

a. Despertar mayor interés en las ideas de los grandes escritores del pasado y del presente.
b. Estimular un conocimiento más profundo de la cultura puerrriqueña, sobre todo la comprensión de la vida y de la obra de los hombres que han trazado directrices a nuestro pueblo.
c. Fomentar el interés en visitar las bibliotecas para informarse sobre libros, revistas y materiales nuevos que amplíen la visión de la cultura.
d. Cultivar el gusto del ensayo como género literario y como un medio de enriquecimiento cultural.
e. Desarrollar nociones universales de la cultura que ayuden a formar espíritu de tolerancia hacia los demás y de respeto a las ideas ajenas.

4. *Actividades. Sugerencias*

A tono con estos objetivos, podemos elaborar un programa de actividades de exploración y motivación, de desarrollo del curso y de evaluación o comprobación. Veamos los aspectos más concretos de esas actividades.

a. *De exploración y motivación*
(1) Conversación con los estudiantes sobre el significado que tienen para ellos las palabras *ensayar* y *ensayo.*
(a) Enumérense en la pizarra las diferentes acepciones que den los alumnos.
(b) Póngase a los estudiantes a buscar en un diccionario de lengua española el significado de ambas palabras.

(c) Compárense las acepciones dadas por los estudiantes con las que da el diccionario.

(d) Déjese abierta la pregunta de por qué al género literario que se va a estudiar se le ha dado el nombre de ensayo.

(2) Búsqueda de información, en enciclopedias o historias de la literatura existentes en la biblioteca escolar, sobre el origen del ensayo moderno, a fin de exponer y discutir en clase dicha información.

(3) Presentación, mediante escritura en la pizarra o en tarjetas, de algunos nombres de autores o de movimientos literarios relacionados con el ensayo para auscultar lo que saben los alumnos sobre ellos.

(4) Preparación de un breve trabajo escrito en que cada alumno trate libremente un tema que le agrade.

(5) Formulación de problemas y organización de debates entre los alumnos sobre el contenido del ensayo.

b. *Del contenido de la lectura*

(1) Lectura individual en la casa para comentar luego en la clase el posible ajuste de esa lectura a las características del ensayo que han sido señaladas en el Curso.

(2) Preparar un bosquejo del ensayo leído en la casa.

(3) Escoger un pasaje del ensayo asignado para lectura en la casa y presentarlo en la clase para realizar allí un ejercicio escrito de interpretación.

(4) Lectura individual en la casa (orientada por el maestro) para inferir, a través de la discusión en clase, las características del ensayo.

c. *De evaluación y comprobación*

(1) Lectura y análisis, para hacer un trabajo escrito, sobre un ensayo no estudiado en clase. Ese trabajo incluirá los siguientes aspectos: datos biográficos sobre el autor; asunto, tema y subtemas del ensayo; estilo del autor; comparación entre este ensayo y otro estudiado en clase; reacción personal al ensayo.

(2) Elaboración de un ensayo original sobre un tema seleccionado libremente por el estudiante.

(3) Redactar un párrafo sobre las características del ensayo como género literario, según el alumno ha podido captarlo durante el Curso.

(4) Bosquejar otro ensayo de tal modo que sea posible captar, a través del bosquejo mismo, los temas principales y secundarios del ensayo.

(5) Realización, por el alumno, de ejercicios como los siguientes:

(a) Dos columnas pareables: la primera, con el nombre de diversos autores; la segunda, con títulos de ensayos. (El alumno deberá establecer la equivalencia correcta.)

(b) Señalar una serie de movimientos literarios para que el alumno indique la contribución de esos movimientos al ensayismo.

(c) Extraer fragmentos de las composiciones estudiadas en clase para que los alumnos las identifiquen y las comenten; las relacionen con el título y el tono del ensayo; el estado de ánimo y la intención del autor; la idea central y el valor principal del ensayo.

(d) Si la unidad curricular sobre el ensayo ha sido ubicada después de los otros géneros, el alumno puede afrontar la siguiente prueba: escogerá entre los encabezamientos NOVELA, CUENTO, TEATRO, ARTICULO, POESIA, TRATADO, MONOGRAFIA, colocados en la parte superior de la hoja de examen, el que corresponda a cada una de las características enumeradas en el resto de la hoja de prueba.

(e) Presentar un texto de una definición errónea del ensayo para que el alumno señale y explique los elementos ajenos a la naturaleza de ese género. Una reelaboración, realizada por el estudiante, de la definición, podría constituir parte de su respuesta al problema planteado. (El alumno se percataría, mediante este ejercicio, de las dificultades existentes para definir el ensayo.)

(f) Otras preguntas que, en la prueba final del curso, el alumno deberá responder, podrían ser las siguientes: ¿Qué transformación ha esperimentado el ensayo después que fue creado por Montaigne? ¿Cuáles son los escritores de mayor relieve que le han dado impulso al ensayo? ¿Cómo ha evolucionado el ensayo en Hispanoamérica? ¿Cuáles son cinco grandes ensayistas de Puerto Rico y en qué tipo de ensayo se han distinguido?

(g) Presentación escrita por el alumno de sus comentarios sobre determinado ensayo. (El profesor evaluará este trabajo, tomando en cuenta los siguientes aspectos: comprensión de la lectura; claridad y corrección en la exposición de las ideas; capacidad reflexiva, habilidad para hacer análisis estilísticos.)

(h) Otras preguntas, dirigidas al estudiante, pueden ser las siguientes: ¿Qué impresión causó el párrafo introductorio? ¿Cómo desarrolla el autor las ideas en los párrafos activadores, que constituyen la porción mayor del cuerpo del ensayo? ¿Qué predomina en esos párrafos activadores: los sucesos y detalles, las analogías o contrastes, las definiciones, las causas y efectos, los ejemplos y otros modos de ilustrar la intención del autor, los fundamentos, la revisión? ¿Cuáles son los párrafos copulativos, es decir, los que sirven de enlace entre el párrafo que culmina la exposición de una idea y el párrafo que inicia el desarrollo de otra? ¿Llena su cometido el párrafo conclusivo, no porque sea una exposición precisa de una conclusión, sino porque mantenga la tensión en torno al problema planteado? ¿Cómo es internamente cada párrafo? ¿Cómo van discurriendo las ideas a través de los nexos que establecen las palabras y las frases? ¿Hay un "decir literario" y cómo está representado este "decir" en el ensayo estudiado? ¿Cómo están empleadas las palabras: en forma repetitiva, por similaridad y agregado, por contraste, por causa, por resultado, por secuencia temporal, por referencia espacial? Después de estas consideraciones, ¿tiene unidad el ensayo estudiado? ¿Están integrados debidamente el propósito, la organización y el estilo del ensayo a fin de subrayar la idea-eje en su evolución interna? ¿Cuáles son las palabras que mejor recogen la idea eje, es decir, la idea central? ¿Qué connotación hay en giros expresivos como, por ejemplo, los subfijos de algunos sustantivos? ¿Esa conotación es peyorativa, elogiosa, irónica, humorística? ¿Hay sencillez en el ensayo estudiado? ¿Cómo definiríamos la sencillez para determinar su existencia en ese ensayo? Escojamos un párrafo y estudiemos el tipo de oración que lo constituye: ¿son oraciones aseverativas, exhortativas, desiderativas o admirativas? ¿Cómo fijaríamos la actitud del autor en este ensayo: como poeta, como meditador, como reportador o es indeterminable? ¿Cuál es el tono adoptado por el autor a lo largo del ensayo: filosófico, crítico, irónico o familiar? ¿En qué radica el valor principal de este ensayo: la originalidad del asunto, la novedad de la organización de las ideas, la riqueza de los recursos estilísticos, la seriedad del tema?

d. *Recomendaciones generales a modo de resumen*

Podemos formular una serie de sugerencias que, en conjunto, representan una técnica de abordaje del ensayo, apuntando hacia ángulos vitales en el contenido, la estructura y las formas expresivas de la pieza estudiada. Esta formulación sintetizaría muchos puntos de vista.

Cada zona separada con propósito analítico recibiría un tratamiento minucioso por los alumnos y por el maestro, estableciendo la premisa de que la función de éste será la de guía-incitador en el esfuerzo común realizado en clase. (Una sola idea descubierta por el alumno vale más que cien ideas transmitidas, como fórmulas finales, por el profesor.) Sugerimos, pues, desde esta perspectiva, los siguientes pasos en esa singular aventura por el territorio harto escabroso del género ensayístico:

(1) Buscar intensa y juiciosamente la idea central del ensayo, ya que con ello irá cuajando la verdadera imagen de la obra estudiada.

(2) Seguir el rumbo de las ideas secundarias a lo largo del ensayo porque ellas son los puntales de la estructura central. (La totalidad se apoya en la adecuada distribución del peso subsidiario de estas ideas.)

(3) Considerar los rasgos personales del autor representados en el tono y los giros expresivos de la obra.

(4) Tratar de reunir observaciones sobre los recursos que el ensayista va empleando y que son susceptibles de generalización para definir su *método.*

(5) Escrutar en las expresiones empleadas por el autor para deslindar las notas que mejor lo puedan caracterizar a fin de ir descubriendo su *estilo.*

(6) Estudiar las diferenciaciones silábicas, las pausas, las formaciones de grupos, la tensión, con el propósito de establecer, a lo largo del ensayo, la relación entre sentido y ritmo como una zona donde pueden trenzarse en esa composición lo afectivo y lo conceptual.

(7) Examinar el modo de construcción de párrafos y oraciones y relacionarlo con la naturaleza del ensayo como género literario.

(8) Verificar y ampliar ciertos datos o referencias que aparecen en el ensayo, tarea que requiere consultas de diccionarios o enciclopedias a fin de alcanzar la mejor posición objetiva para realizar el enfoque más certero del ensayo.

(9) Establecer la relación entre las condiciones peculiares del momento en que el autor escribe su obra y las características que ésta muestra.

(10) Reunir datos para relacionar esa pieza específica que estamos estudiando con toda la producción literaria del autor, cotejo que podría iluminar muchos aspectos de nuestro análisis.

VII

DOS EJEMPLOS PUERTORRIQUEÑOS

A. *Introducción*

Escogemos dos composiciones ejemplares del ensayismo puertorriqueño: *Presencia del Yunque y Asomante*, de Concha Meléndez,[115] y *El paisaje de Puerto Rico*, de Margot Arce de Vázquez.[116] Podemos adscribir estos ensayos a una de las modalidades del género descritas en nuestro estudio.[117] Hay, en las dos, un denominador común y unas semejanzas y diferencias cuyo descubrimiento constituirá importante tarea del estudiante.

Nuestro plan consiste en presentar observaciones sobre el sentido general de cada una de las obras, adelantar algunos juicios comparativos en esa dirección y formular luego una serie de preguntas que sirvan de apoyo al estudiante para un análisis de ellas como piezas ensayísticas. Lectores, maestros y otros estudiosos podrán mejorar y ampliar, en su estructura y contenido, este catálogo de interrogantes. Aspiramos a que las observaciones diseminadas en los capítulos de nuestro trabajo contribuyan, de algún modo, a ese esclarecimiento.

B. *"Presencia del Yunque y Asomante", por Concha Meléndez. El sentido de este ensayo* [118]

La autora distribuye en ocho párrafos el material que constituye este ensayo. El texto del primer párrafo es el siguiente:

> Alzar los ojos a las montañas en momentos de turbación o amenaza, ha sido para quienes conservan aún soportes religiosos o idealistas, una manera de afianzamiento espiritual. Las palabras más

---

115. Meléndez, Concha. «Presencia del Yunque y Asomante». En: *Obras completas.* Tomo II. San Juan, Puerto Rico, Instituto de Cultura Puertorriqueña, 1970. PP. 11-13.

116. Arce de Vázquez, Margot. «El paisaje de Puerto Rico». En: *Impresiones de Puerto Rico. Notas puertorriqueñas,* San Juan, Puerto Rico, Editorial Yaurel, 1950. PP. 17-24.

117. Debe ser el alumno quien realice, en estos casos, el encasillamiento adecuado.

118. Véase texto completo del ensayo en el Apéndice I.

> consoladoras de Cristo fueron dichas después de orar en la montaña, confirmando así la eficacia de la meditación en las alturas, en soledad. Los indios del Perú adoran todavía a los cerros como dioses protectores y suben a ellos a inquirir sobre el destino. Rosendo Maqui, en la novela más reciente de Ciro Alegría, cree que los grandes montes celebran consejos a la luz de la luna para discutir los secretos de la vida.

El escenario físico está ya definido en el primer párrafo: lo constituyen montañas. Y, frente a ellas, se da una percepción visual: alzar los ojos para verlas. Y de aquéllos que pueden alzar los ojos para ver montañas le interesan a la autora, a tono con su propósito en este ensayo, los que están preparados, por su sentimiento religioso o por su formación idealista, para este acto de contemplación. Para ellos es que las montañas pueden alcanzar altísima categoría simbólica. Ahora bien, el movimiento que la autora visualiza no es sólo el de mirar a distancia cumbres de montañas; es también situarse en las cumbres mismas para ejercitar desde allí las virtudes adquiridas en el proceso de elevación a esas zonas de espiritual vigilancia.

Pero hay algo más que condiciona esta capa angular de la estructura levantada luego por la autora: el momento que enmarca al protagonista y que crea una atmósfera en este escenario es de "turbación o amenaza". Ya están aquí colocados los elementos esenciales del drama que convoca imaginación, sentimiento y doctrina de la autora: la montaña como escenario (plano físico-objetivo); el hombre idealista o religioso como protagonista (plano del sujeto en trance de observación) y el momento peculiar de turbación o amenaza (plano temporal, signado por circunstancias históricas). Pero esa observación del hombre ubicado en este contexto no es la del científico que escruta en las leyes rectoras de los fenómenos de la naturaleza. Esa observación se dirige como aguda flecha a herir la sensibilidad del hombre preocupado por el hombre mismo. Se trata de una apelación a la conciencia humana.

Dentro de ese esquema —anticipación o síntesis de tema, tono y procedimientos—, la autora va a mover sus recursos, insertando cada pieza en la estructura total del ensayo a base de precisiones, consideraciones aleatorias y explicaciones de alcance ético que, después de todo, constituyen el trasfondo articulador de su propósito. Una apelación a la historia cristiana (la oración de Cristo en la montaña) y a la literatura (el registro novelístico del fervor mítico que el cerro inspira al indio peruano) sirve de apoyo inicial en la estructuración de este ensayo.

Pero, todavía, la autora no había proyectado sobre el plano más concreto, donde se alojó el chispazo inicial en su intimidad sacudida, el poder asociador de sus observaciones. Esta operación la ejecuta en el segundo párrafo cuyo texto dice:

> Nuestra Isla atravesada de serranías, nos incita a este ejercicio de mirar desde altura. El Yunque, que gusto de evocar en lejanía, en un amanecer de fuertes tonalidades rosas como lo pintó Walt Dehmer, fue la sede del dios benéfico de los aruacos y sigue dándonos aguas puras y vegetal abundancia. Su presencia inmutable nos acompaña en el dolor y la esperanza desde el principio de nuestra historia y será leal testigo de ella siempre. Centinela de la costa, nos da ejemplo de cordura vigilante; mirador de nuestro oriente, alude a días renovados, a resurrecciones posibles después de la sequía interna y la desilusión.

Es, pues, en este segundo párrafo donde se da la traslación del supuesto más general del primer párrafo a una referencia más concreta en este otear de cumbres montañosas y menciona y sitúa al Yunque, que "fue la sede del dios benéfico de los aruacos y sigue dándonos aguas puras y vegetal abundancia". La alusión a los indios peruanos, en el primer párrafo, engrana ahora con la alusión a los indios aruacos, en el segundo párrafo. Esta secuencia fortalecedora de las referencias en la trayectoria del ensayo va dando a éste una hermosa unidad que refleja la disciplina interior de la autora. Sus pasos se van escalonando para que el lector visualice también la concatenación de elementos que suscitan su esfuerzo creador. Adelanta en este segundo párrafo características muy relevantes de nuestro Yunque: su vigencia (sigue dándonos "aguas puras", es generoso; se mantiene abundante como zona forestal, es muy fecundo); es vigilante costanero (desde esa atalaya, mantiene la cordura que le da su visión de las cosas), y su situación geográfica ("mirador de nuestro oriente") le asigna misión de estímulo, de esperanza, de renovación (por el oriente asoman los amaneceres y ella dice que lo evoca "en un amanecer de fuertes tonalidades rosas") para sobreponernos a la "sequía interna" (los soles que se tornan duros por nuestras bajezas) y a la desilusión que nos asalta en ese frecuente contacto con la adversidad.

El tercer párrafo, que nos vincula geografía con destino colectivo, dice así:

> El conjunto de lomas que se afirman en la planicie de Aibonito celebra consejo en las noches de luna discutiendo los modos de conservar la tradición que sustenta. Lomas del Asomante, según la geografía, nos dan la lección necesaria a nuestro destino de isleños: esfuerzo de mirar desde la altura, de mantener la actitud asomante a lo nuestro y a lo universal, con la persistencia que libra al que se asoma de visiones equivocadas o fugaces.

Ya está aquí emplazado adecuadamente, en la estructura visual que la autora presenta, la fisonomía del Yunque en el oriente, pero su mirada se mueve hacia otras cumbres más de tierra adentro y se detiene en "el conjunto de lomas que se afirman en la planicie de Aibonito", es decir, las Lomas del Asomante. ¡Asomante! Nombre, por sí mismo, sugestivo de nobilísima misión del alma humana y, en este caso, del espíritu puertorriqueño. Aquí, en este plano simbólico, se constituye el encanto de un estuario que reúne lo nacional y lo universal. Convergencia que incita a reflexionar sobre el sentido, el verdadero sentido, de nuestra peculiar insularidad.

No habitamos una isla nivelada con el mar. No somos un solo peñón erguido sobre las aguas. Ni igualitarismo acuífero ni presunción petrificada. Alternamos crispadura y remanso en las puertas abiertas de nuestros litorales. Espasmo y quietud se trenzan en nuestras aguas, así como brisa y ventarrón alternan ciclos en las frondas que escalonan nuestra mirada al cielo.

La geografía asume aquí funciones vitales en el destino colectivo de un pueblo. Lomas del Asomante. El Asomante. Asomante. Asomarse a los abismos de la tierra después que el alma ha visto el cielo como más cercano a nuestro débil cuerpo. Y moverse en esas alturas para mirar desde lo alto lo que hemos padecido desde lo bajo. Y verlo mejor para lidiar con ello, empleando la pureza que nos comunicó ese aire —¿místico?— de cúspides alzadas sobre los laberintos humanos.

Examinemos ahora el contenido del cuarto párrafo. Su texto es el siguiente:

> Quisiéramos ver con esta mirada de montaña nuestro presente. Sabemos sin embargo, que tal mirada es fruto de largo aprendizaje, de sabiduría lograda después de renunciaciones dolorosas. Intentaremos solamente explorar con aspiración de altura, el momento de transición y crisis que vivimos.

Vemos que ya la montaña se ha erguido como símbolo de vigilancia y como llamado al cumplimiento de un alto destino y la autora desespera en la aplicación del símbolo porque el presente constituye una negación de esas aspiraciones ideales. Le fue afectando por mucho tiempo el galopante deterioro de la condición humana en esta época. Miró a las montañas, les atribuyó caracteres simbólicos, descifró secretos de altura, describió este nivel de alegoría y ahora quiere aplicarlo a la cruda realidad que la exacerba. Pero necesita decir cómo es esa realidad que, ya en este párrafo cuarto (lo podemos llamar copulativo), queda definida como "momento de transición y crisis".[119]

---

119. Obsérvese la fecha de redacción de este ensayo: 1942.

El párrafo quinto expresa lo siguiente:

> Tránsito y crisis universales, abarcadores de la cultura utilitaria de nuestro siglo, despreocupado de lo absoluto y de aquellos imperativos morales que en otros tiempos frenaron los peligros acompañantes del poder: la vanidad, el egoísmo, la pasión. La crisis y el trance puertorriqueños se expresan en conflictos locales, que bien mirados son universales. Aquí, como en todas partes, el poder puede acrecentar la vanidad, desatar el egoísmc, y encender la pasión cegadora que lleva a la injusticia. Los psicólogos y sociólogos que trascienden el utilitarismo y luchan por el establecimiento de valores perdurables que lleven a una cultura de orientación espiritual, aconsejan el dominio de nosotros mismos, el cumplimiento estricto de nuestros deberes como medio de acelerar el tránsito a ese orden más satisfactorio. Pero ambas cosas son virtudes de los menos y éstos, casi nunca saben conquistar poderes materiales. Y es así como por vanidad olvidamos el decoro, por egoísmo desconocemos el valer de los demás, y por pasión repartimos los frutos del poder con injusticia, dejando vacías las manos que por sus merecimientos debieron colmarse.

Aquí la autora alcanza una especie de plenitud exegética —no lo contradice el fino sentido de la economía verbal—, donde quedan al descubierto las claves soñadas y la ensayista interna su visión en las raíces mismas del problema planteado. Los símbolos facilitan el apunte de tipo moral. La montaña nos sitúa en un plano de pureza contemplativa. Desde ese plano, las pequeñeces, que la vanidad de los hombres pretende hacer grandes, se muestran en su verdadera naturaleza: la mezquindad de miras. Es mezquindad porque sus ejecutores no otearon desde tierras altas, sino que arrastraron, sobre deleznables cortezas infrahumanas, un destino de reptiles y, en el despliegue de la ambición del poder, sumaron a su trayectoria la vanidad, el egoísmo y la injusticia. El utilitarismo, como fundamento de la cultura de nuestro tiempo, propende a visiones relativas de lo humano y al énfasis en transitorios valores materiales.

La raíz del mal que desarticula la vida en todos sus aspectos y en todos sus planos —el individual y el colectivo, el nacional y el universal— estriba, para la autora, en la ambición del poder. Esta ambición acarrea otros aspectos negativos del comportamiento humano: la vanidad que ata al hombre a lo pasajero y violenta el propio ser al desfigurarlo; el egoísmo que incapacita para reconocer el valor del prójimo; la pasión, que sectariza, que fanatiza, que anarquiza en la vida interior y desordena la vida de los otros por el atropello que el comportamiento apasionado se empecina en ejecutar sobre sus víctimas. Del poder se desprende, pues, este cúmulo de males que rompen el básico equilibrio para que el hombre descubra sus virtudes y anhele la hermosa solidaridad en el descubrimiento de los valores ajenos. Ello constituiría la base de la justicia en el mundo.

El párrafo sexto dice así:

> Para alcanzar la contención, para cumplir deberes, precisamos conocer nuestra propia intimidad. Este conocimiento nos mostrará nuestras limitaciones que debemos admitir humildemente. Sólo así podremos aceptar o rechazar el camino que el poder nos ofrezca. Enseñe el que haya cultivado más el saber; el que posea riqueza moral suficiente para hacer de sus lecciones substancia de su propio vivir. Juzgue el que haya afinado su juicio en las disciplinas con que va a medir la obra de los otros; cure el que conozca las raíces del mal y las medicinas eficaces.

Con el planteamiento, en el párrafo quinto, de la idea de justicia, establece la autora el puente conceptual para derivar, en el párrafo sexto, hacia la idea de que el conocimiento de nuestra intimidad, con el reconocimiento, que esa tarea supone, de las propias limitaciones, nos impulsará a buscar a los otros, no para convertirlos en víctimas de nuestro poder, sino para tratar de completarnos en ellos, ya que el conocimiento de nuestra intimidad puede generar el cultivo de una virtud primordial: la humildad. La humildad se convierte en base de equilibrio, armonía y convivencia porque propicia el orden de las funciones humanas: cada cual se atiene a sus propias potencialidades, no envidia las de otros, sino que puede admirarlas, y termina contribuyendo a la integración de la labor humana en el más alto plano de solidaridad.

El séptimo párrafo, que aborda el sentido de proposiciones reformistas, expresa lo siguiente:

> Pensamos hoy en la reforma de todas las cosas. Reformemos con discernimiento, con olvido del "yo", cruzando las fronteras del "tú" y del "otro" con tolerancia y generosidad. Reforma implica que no enseñe quien no sustente sus conocimientos sobre bases de caballerosidad; que no legisle, quien por su índole y torpeza no debió jamás intentarlo, ni haga crítica literaria el labrador. Es decir, que cada cual se atenga al menester que le es propio por su circunstancia y las posibilidades de su talento y experiencia. Sólo así encontrará el oportunista, regocijado por la crisis que hace fácil sus intrigas perversas, valla y derrota. Toda reforma que descuide este principio de ajuste indispensable será una reforma inválida.

Este afán de trascendencia como criterio ético aplicable a la problemática humana revierte sobre los planes de reforma que suelen exponerse sin tomar en cuenta los requisitos de tolerancia y generosidad. La educación, las leyes y las letras deben sustentarse en el principio del respeto a las vocaciones, a la nobleza del esfuerzo propio y a la conciencia de las propias limitaciones. Si este principio impera en la estructura social, el oportunista queda impotente para sus intrigas y el simulador no puede endilgarse sus disfraces y el disociador se queda en el vacío.

El texto del párrafo final, el octavo, es el siguiente:

> La presencia del Yunque y del Asomante es perdurable; verá las reformas del presente y del futuro con la misma expresión de sosegado equilibrio. Que su ejemplo nos dé mirada de montaña y nos sostenga en el tránsito hacia una época que esperamos más justa, iluminada por el espíritu.

En este párrafo final del ensayo, la autora retorna al punto de partida para redondear los apuntes sobre el alcance simbólico que ella le atribuye al Yunque y al Asomante como encarnación ejemplar del equilibrio expectante, de la serenidad perdurable, del sosiego propiciador de justicia, en fin, de afirmación de los valores del espíritu en un plan de auténtica reforma de la conducta humana. La clausura de este ensayo reafirma el ademán que presidió su apertura: la fe en la potencia rehabilitadora del espíritu humano, el resplandor presentido del mañana en el mismo torbellino angustioso del presente.

C. *Cuestionario relativo al ensayo de Concha Meléndez*

1. ¿Qué aspecto de la naturaleza puertorriqueña le inspira a Concha Meléndez sus reflexiones sobre la convivencia humana?

2. ¿Qué relación establece la autora entre el hombre y la naturaleza?

3. ¿En cuáles referencias cultas se apoya Concha Meléndez para desarrollar sus ideas?

4. ¿Cuál es la preocupación central que ha motivado a Concha Meléndez para escribir este ensayo?

5. ¿Qué tono predomina en este ensayo?

6. ¿Cómo se manifiesta en este ensayo la proyección de la personalidad de la autora?

7. ¿Qué valor tiene para Concha Meléndez el carácter montañoso de la geografía puertorriqueña?

8. ¿Sería correcto afirmar que en este ensayo predomina la apelación al pasado de un pueblo?

9. ¿Expresa el ensayo conformidad con el momento histórico que lo motivó?

10. ¿Cómo la autora califica la época que ella vive cuando escribe este ensayo?

11. ¿Cuál aspiración suprema expresa la autora en este ensayo?

12. A base del tratamiento que la autora da al tema de su ensayo, ¿quedamos satisfechos con la dimensión de éste?

13. ¿Cuáles principios educativos descubrimos en este ensayo?

14. ¿Cuáles virtudes afirma la autora en su trabajo?

15. ¿Qué relación entre nacionalismo y universalismo podemos establecer a base de las ideas expresadas en este ensayo?

16. ¿Qué propone la autora para derrotar al oportunismo?

17. ¿Qué relación podemos establecer, a base de las observaciones de la autora, entre las montañas y las reformas que ella sugiere?

18. ¿Qué ocurría en el mundo cuando Concha Meléndez publicó este ensayo?

19. ¿Qué relación podemos establecer entre el tono de este ensayo y la circunstancia histórica que sirve de marco a su nacimiento?

20. ¿Cómo podríamos interpretar los siguientes pasajes del ensayo?

a. Enseñe el que haya cultivado más el saber; el que posea riqueza moral suficiente para hacer de sus lecciones substancia de su propio vivir. Juzgue el que haya afinado su juicio en las disciplinas con que va a medir la obra de los otros; cure el que conozca las raíces del mal y las medicinas eficaces.

b. Pensamos hoy en la reforma de todas las cosas. Reformemos con discernimiento, con olvido del "yo", cruzando las fronteras del "tú" y del "otro" con tolerancia y generosidad. Reforma implica que no enseñe quien no sustente sus conocimientos sobre bases de caballerosidad; que no legisle, quien por su índole y torpeza no debió jamás intentarlo, ni haga crítica literaria el labrador. Es decir, que cada cual se atenga al menester que le es propio por su circunstancia y las posibilidades de su talento y experiencia. Sólo así encontrará el oportunista, regocijado por la crisis que hace fácil sus intrigas perversas, valla y derrota. Toda reforma que descuide este principio de ajuste indispensable será una reforma inválida.

21. ¿Por qué, refiriéndose al Yunque, Concha Meléndez dice: "Centinela de la costa, nos da ejemplo de cordura vigilante; mi-

rador de nuestro oriente, alude a días renovados, a resurrecciones posibles después de la sequía interna y la desilusión"?

22. ¿Cómo define la autora nuestro destino de isleños?

23. ¿Cómo calificaríamos la actitud que supone este ensayo: optimista o pesimista?

24. ¿Qué tipo de lección podemos derivar del estudio de este ensayo?

25. ¿Qué podríamos decir sobre la extensión de las oraciones, el léxico, los adjetivos, las imágenes, los tiempos verbales y la sintaxis en este ensayo?

26. ¿Cómo se manifiesta el sentimiento religioso de Concha Meléndez en este ensayo?

27. ¿Cómo podemos clasificar este ensayo, tomando en cuenta los tipos ensayísticos presentados en el Capítulo III de este trabajo?

28. ¿Cómo nos sentimos, desde nuestra perspectiva de puertorriqueños, después de leer este ensayo?

29. ¿Cuáles son las características del género ensayo que podemos señalar en esta composición?

30. ¿Cuáles influencias sobre las ideas de Concha Meléndez y sobre sus recursos como escritora podemos señalar en este ensayo?

31. ¿A quién va dirigido este ensayo?

32. ¿Con cuál de las modalidades afines del ensayo tiene más relación este escrito de Concha Meléndez?

33. ¿Cómo es el vocabulario? ¿Es sencillo o rebuscado? ¿Culto o popular?

34. ¿Emplea regionalismos? ¿Hay tecnicismos eruditos? ¿El vocabulario es rico o pobre? ¿Es claro o ambiguo?

D. *Actividades*

En el transcurso de la enseñanza de este ensayo, podemos realizar actividades como las siguientes:

1. Consultar enciclopedias, diccionarios biográficos y publicaciones bibliográficas para reunir datos sobre la vida y la obra de Concha Meléndez.

2. Determinar, mediante la consulta de catálogos en las bibliotecas, la novela de Ciro Alegría que Concha Meléndez cita en su ensayo y explicar la alusión a Rosendo Maqui.

3. Reunir datos sobre la geografía del Perú para compararlos con la geografía de Puerto Rico.

4. Localizar, en un mapa topográfico de Puerto Rico, el cerro Yunque, las lomas de Aibonito y el Asomante.

5. Reunir datos sobre historia, flora y fauna en las regiones del Yunque y el Asomante.

6. Organizar excursiones al Yunque y al Asomante.

7. Invitar a especialistas para que dicten charlas sobre la geografía, la historia y otros aspectos de las regiones del Yunque y el Asomante.

8. Exponer fotos, mostrar diapositivas y pasar películas que reproduzcan escenas de estas regiones.

9. Localizar los pasajes bíblicos (Nuevo Testamento) que describen la oración de Cristo en la montaña y las palabras que pronunció posteriormente. Explicar por qué esas palabras fueron consoladoras, como las califica Concha Meléndez.

10. Preparación, por parte de cada alumno, de un ensayo original sobre un tema que seleccione libremente, tomando en cuenta el estudio realizado sobre el ensayo de Concha Meléndez.

E. *El paisaje de Puerto Rico, por Margot Arce de Vázquez. El sentido de este ensayo*[120]

Este ensayo distribuye sus materiales en quince párrafos. Diversas citas de autores ilustres apuntalan observaciones cardinales. La autora conjuga, con discreción, con decoro, con sabiduría, en formas finamente alquitaradas, su emoción ante el paisaje, su reflexión sobre los nexos de la geografía y el carácter, y su posición crítica en las implicaciones de orden psicológico-social.

El primer párrafo revela cómo la belleza de nuestro paisaje y la hospitalidad de nuestra gente atrapan la voluntad del visitante y penetran en su alma: es ferviente su anhelo de regreso. El ensayo comienza a señalar notas que corroboran esa afirmación de belleza. Esa belleza tiene alcance psicológico y derivación ética. Es hermético el tipo geográfico de nuestra Isla: un rectángulo regular, pero no es hermético nuestro carácter. Nuestra insularidad no es pretexto para inmersiones y rechazos, sino vía abierta al diálogo y la simpatía.

---

120. Arce de Vázquez, Margot. «El paisaje de Puerto Rico». En: *Impresiones*. San Juan, Puerto Rico, Editorial Yaurel, 1950. PP. 15-24. Véase texto completo en el Apéndice II de este trabajo.

La ensayista observa el relieve de nuestra tierra. Un vasto encanto en poco cuerpo. Revelación de una grandeza no mensurable en materia. Montañas pequeñas. Arboles pequeños, si hacemos comparaciones. No estamos sobrecogidos, en esta Antilla, por erizamientos como los que caracterizan al relieve suramericano. No exhiben nuestros árboles la vasta copa del samán, la fortaleza abarcadora del panamá istmeño. Y nuestro verde tiene aspecto de sedante alfombra.

La comparación, establecida en el segundo párrafo, entre la Isla y una alfombra verde, cambia ahora, en el tercer párrafo, por la comparación con un lago verde, aunque la nota constante es la ondulación.

El estilo de la autora muestra su poderío en la precisión de características geográficas y en el procedimiento para ir vinculando o asociando esas características de la tierra con rasgos morales de la gente que la puebla.

La observación de la cordillera central como línea divisoria traslada las diferencias establecidas entre las dos zonas para proyectarlas sobre el carácter y dice que la vertiente del sur es seca y muestra "alguna tímida aspereza de contorno". La diferencia se revela también en el lenguaje.

Las falanges de colinas pequeñas que acortinan el horizonte le parecen "de juguete". Ya antes había dicho que son redondas, lo cual sugiere el rasgo posterior "de juguete" ya que la imaginación las asocia con las bolas que sirven de entretenimiento infantil. Además, su dimensión reducida les imprime cierta gracia o candor infantil.

Sin embargo, esa superposición de pequeños planos va dinamizando el ambiente porque, además del esfuerzo físico que implicaría su recorrido en escalada para fines de trabajo o excursión, la vista debe realizar cierta operación saltarina que implica riquísima variedad si a ello le sumamos las tonalidades diversas del verde.

Pero otra consecuencia de esa atractiva sucesión de pequeñas elevaciones es la sensación de cercanía, las posibilidades de contacto, el encuentro entrañable con lo telúrico. Esa cercanía cordial de la tierra que se escalona como si quisiera hacerse bien accesible a la planta humana, evadiendo escabrosidades y nieblas muy densas de cerros acechantes de nubes, incita al requedarse en luz, en seda y en dulzura. Es difícil el desarraigo para quien ha formado su espíritu y su carácter al rescoldo de emanaciones tan cordiales de la tierra visible como madre tierna o como novia ardiente. Nos atrapa la magia de ese magnetismo telúrico. Y acaso en esas raíces reside toda la sintomatología de nuestra sensibilidad, espoleando en la búsqueda de lo concreto y lo inmediato, sustrayéndonos a los vuelos místicos o a las etéreas jornadas de la filosofía.

Lo que genera la cercanía de la tierra, esa vecindad determinante de sensuales planos, queda como agregado, en los apuntes del párrafo cuarto, a los efectos de un clima definido como "trópico atenuado". El tropicalismo se identifica con "luz rabiosa" que Luis Palés Matos atribuye al sol en esta Antilla. Alternamos humedad y sequía, frescura y canícula y, cuando ésta señorea, hasta las piedras "humean rojas de calor".

De aquí, casi sin solución de continuidad, pasamos a los efectos morales de esa condición climatológica y, en el párrafo quinto, la autora dice que este acoso alternativo de humedad y calores determina movimentos de carácter pausados y frecuentes manifestaciones de incapacidad para la acción previsora y enérgica. Ella adelanta la respuesta a una posible objeción: el activismo en algunas ciudades es efecto de la influencia norteamericana, no del "ritmo innato puertorriqueño". De modo que, por obra del calor y de la luz, somos "excitables, soñadores, indecisos".

Adoptamos postura estoica frente a las catástrofes naturales (por ejemplo, los huracanes) y mostramos "un admirable desdén por los bienes materiales y una aceptación, admirable también, trágica a veces, de toda desgracia".

El párrafo sexto agrega un apunte a la atribución anterior de estoicismo, presentando la "resistencia terca y sin prisa que va venciendo el tiempo y labrando su propio destino" como nuestra virtud principal.

La autora realiza unos movimientos inusitados y el lente que penetraba en la tesitura moral del hombre puertorriqueño enfoca de pronto, en el párrafo séptimo, el paisaje marino para destacar un contraste de colores (verde claro en la costa, azul cobalto cerca del horizonte) y la asociación, por su luz y su "hermosura viril", con el mar Mediterráneo. Espumas y palmeras completan este cuadro, con un apunte final sobre el cambio cromático que corresponde al transcurrir del día y el ingreso en la noche.

En realidad, este ensayo muestra una estructura de visiones engarzadas que, de golpe, quiebran su hilación para encarrilarse hacia otros planos que oscilan entre lo estrictamente descriptivo y lo fundamentalmente interpretativo de proyecciones morales por comparación con aspectos del ambiente físico. Así, la mirada al mar, en el párrafo séptimo, queda desplazada hacia el cielo en el párrafo octavo. Y aquí nos revela la autora que, en curioso paralelo, a la cercanía de la tierra corresponde un cielo tan bajo que la mano parece palparlo y que lo vemos como vaciándose en valles y hondonadas. Si su presencia se asemeja a la tierra, su color comparte el cobalto del mar y su fosforecencia participa u origina el resplandor de plantas y árboles. En el cielo también, hay nubes que le restan limpidez, pero que reproducen el carácter ondulante de la tierra.

La observación del cielo parece inducir a consideraciones de tipo temporal y la autora concluye que el día predomina sobre la noche, pero antes de que ésta llegue hay un desfile de colores cuya escala de intensidad parece otorgarles una vigorosa consistencia material. La noche, luego, se llena de encantos de luz y sonidos que sugieren la evocación de aquellos momentos de sombra y luna, en tierra colombiana, descritos por José Asunción Silva en su *Nocturno tercero.*

En el párrafo décimo, la autora se apoya en los rasgos, ya descritos, de mar y cielo, para reafirmar una nota ya señalada y que ahora se presenta a la luz de una escena amorosa, donde aparece un "mar viril", bajo un "cielo voluptuoso", ciñendo a la tierra puertorriqueña, que, desde esa perspectiva, "encierra todos los atractivos de lo femenino". Los aspectos sensuales del contorno y dintorno puertorriqueños afloran nuevamente en este párrafo y cobran relieve los matices de verde, la humedad de la tierra, el intenso olor de las flores, los penetrantes aromas nocturnos.

De las sensaciones odoríferas pasamos, en el párrafo once, a las auditivas, y hay brisa de hojas, susurros de insectos, grito del coquí, rumor de aguas, ronquidos del mar, cantos de pájaros, sobre todo, del ruiseñor, que recuerda las liras del *Cántico espiritual,* de San Juan de la Cruz.

El párrafo duodécimo constituye un registro de profusas sensaciones visuales que captan la inmensa variedad de figuras y colores en la naturaleza puertorriqueña: el cañaveral, los cafetales, el plátano, la palmera real, el bambú, la piña, el árbol del pan, el yagrumo, la ceiba, el flamboyán. Destaca el violeta delicado de las guajanas, "que repiten la imagen de la espuma marina". Las hojas del plátano son "como estandartes desplegados". La palmera real tiene "troncos dóricos". La piña esta "acorazada y coronada". La apostura de la ceiba denuncia "noble y orgullosa soledad". Los flamboyanes florecidos semejan, a lo lejos, "la llamarada de una hoguera que ardiera sin humo y sin consumirse".

Con el párrafo trece, el ensayo deriva hacia las concentraciones en pueblos y ciudades, describiendo la organización, el diseño urbano, de origen colonial, y señalando el contraste de viejas y modernas edificaciones, todo bajo el impacto ahora del "inhumano tumulto de la vida fabril e industrial". Ese tránsito en el tiempo, que es también transformación de tipo económico, recoge los efectos de "una explotación colonial inmisericorde", caricaturizada por el poeta Luis Palés Matos.

En este ir y venir de glosas y pinceles, en este rejuego de toque y retoque, imbricado en la estructura de este ensayo, la silueta que va dibujándose para permanecer en el marco alzado por la tradición y la naturaleza es el hombre puertorriqueño, cuyos caracteres resaltan con mejor trazo en los párrafos catorce y quince. Es la culminación de esa trayectoria, harto zigzagueante, del ensayo, que parecía traducir intento exegético o un afán caracterológico que pugnaba por unos asideros, parcialmente definidos. Ahora, la imagen del puertorriqueño, sobre un fondo telúrico, queda definida por:

1) *El elemento étnico* (mezcla de lo español y lo africano, principalmente, aunque hay herencia indígena).

2) El desarrollo de *una modalidad del idioma español*, "dulce y relajado, de ritmo cambiante y de timbre alto"; con entonación "más melódica y ondulante que la española", elevándose sobre "el tono normal para precipitarse en seguida en inflexiones rápidas y sincopadas".

3) Una *música popular* que "tiene la monotonía sensual de todas las músicas tropicales y se parece, en las *plenas*, al habla puertorriqueña".

4) El sentimentalismo.

5) Una hospitalidad rayana a veces en la imprudencia.

6) Un fatalismo como resultado del engaño secular.

7) Temperamento nervioso y susceptible que genera indecisión y recelo.

8) Una alegría despreocupada y burlona que resulta desmentida por "la callada nostalgia de los ojos".

9) Estoicismo en el amor y la muerte.

10) Aplicación, en el vivir diario, de la ternura del negro y la parquedad del castellano.

La autora apoya muchas veces de sus observaciones en citas de grandes escritores: Cervantes (en párrafo 1); Tomás Navarro Tomás (párrafo 3); Luis Palés Matos (párrafos 4 y 13); Luis Lloréns Torres (párrafos 4 y 13); José Asunción Silva (párrafo 9); San Juan de la Cruz (párrafo 11, aunque no lo menciona por su nombre, sino que se refiere a su obra); Góngora (párrafo 12); Keyserling (párrafos 5 y 14); Samuel Gili Gaya (párrafo 14); Gabriela Mistral (párrafo 15). Entre ellos, figuran dos españoles y una chilena que residieron en Puerto Rico y, de distintos modos, ofrecieron testimonio de su experiencia en nuestro medio: Tomás Navarro Tomás, Samuel Gili Gaya y Gabriela Mistral.

F. *Cuestionario relativo al ensayo de Margot Arce de Vázquez*

1) ¿Cuál fue el propósito de Margot Arce de Vázquez al escribir este ensayo?

2) ¿Es adecuado el modo que ella ha escogido para alcanzar ese propósito?

3) ¿Alcanzó ella ese propósito en un grado satisfactorio?

4) ¿Cuáles son los dos elementos principales que la autora relaciona en este trabajo?

5) ¿Cómo va ella introduciendo el tema?

6) ¿Qué efecto ejerce la insularidad geográfica sobre la voluntad de los puertorriqueños?

7) ¿Qué características señala Margot Arce en las montañas de Puerto Rico?

8) ¿Cómo compara la geografía de Puerto Rico con la de los países de América del Sur?

9) ¿Con cuáles elementos compara Margot Arce el aspecto general geográfico de Puerto Rico?

10) ¿Cómo son las montañas de Puerto Rico y qué relación establece la autora entre esas montañas y el hombre puertorriqueño?

11) ¿Cuáles rasgos del puertorriqueño se han formado bajo la influencia de nuestro paisaje montañoso?

12) ¿A cuál otro factor cultural corresponde la división que establece la Cordillera Central en el territorio puertorriqueño?

13) ¿Por qué la autora dice que en Puerto Rico son difíciles la mística y la filosofía?

14) ¿Qué entendemos por "tropicalismo" y cómo éste influye en la literatura y el carácter de los puertorriqueños? Puntualiza aspectos en tu respuesta, tanto para el caso de la literatura como para el carácter.

15) ¿A qué se debe, según la autora, que el hombre puertorriqueño sea de movimientos pausados e incapaz a menudo de acción enérgica?

16) ¿Cómo ha sido afectado el estilo de vida en Puerto Rico por la influencia norteamericana?

17) ¿Cuáles rasgos de nuestro carácter están recogidos en los versos citados de Luis Palés Matos?

18) ¿Por qué la autora cita un fragmento del *Nocturno tercero*, de José Asunción Silva?

19) Puntualiza cinco rasgos del carácter puertorriqueño señalados por la autora.

20) Menciona cinco escritores no puertorriqueños citados en el ensayo.

21) A la belleza del paisaje corresponde la dulzura de nuestro carácter. ¿Qué tipo de belleza tiene nuestro paisaje?

22) ¿Cuál es, según la autora, la principal virtud de los puertorriqueños?

23) ¿Cuáles comparaciones, utilizando a los árboles de Puerto Rico, hace la ensayista?

24) ¿Qué virtud de los puertorriqueños exalta el escritor español Samuel Gili Gaya?

25) ¿Podríamos decir que este ensayo constituye un estímulo para estudiar la historia y la literatura de Puerto Rico?

26) ¿Qué rasgo principal de Puerto Rico fue captado por Gabriela Mistral en los versos citados por la ensayista?

27) ¿Qué caracteriza, desde el punto de vista de la elocución, a la prosa de Margot Arce en este ensayo?

28) ¿Cómo son las oraciones en este ensayo: breves, largas, regulares, irregulares, sencillas, complicadas?

29) ¿Qué dificultad ofrece la interpretación de su contenido?

30) ¿Qué empleo del adjetivo hace la autora?

31) ¿Cuáles son los aspectos poéticos que podríamos señalar en este ensayo?

32) ¿Qué tono predomina en este ensayo?

33) ¿Qué método de ilustración de sus ideas utiliza la autora?

34) ¿Qué predomina en este ensayo: la exposición o la descripción?

35) ¿Es refutable el énfasis que la autora pone en la geografía como factor influyente en el carácter de un pueblo?

G. *Actividades*

1) Conseguir fotos, cuadros, dibujos, diapositivas, que presenten aspectos del cielo, del mar, de los árboles, de los ríos, de las

montañas de Puerto Rico para cotejar las descripciones que aparecen en el ensayo.

2) Consultar enciclopedias, historias de la literatura y otras publicaciones para poder identificar a: Cervantes, Tomás Navarro Tomás, Luis Palés Matos, Luis Lloréns Torres, Keyserling, José Asunción Silva, San Juan de la Cruz, Góngora, Samuel Gili Gaya y Gabriela Mistral.

3) Identificar lo siguiente a fin de indicar la relación que diversos autores establecen con Puerto Rico: Babbitt, Tartarín, Ulises, Aconcagua, Cordelia.

4) Exposición de muestras de plantas y árboles puertorriqueños para ilustrar observaciones de la autora de este ensayo, presentando datos que revelen sus peculiaridades.

5) Escoger lugares de Puerto Rico (valles, montañas, costas, ríos, lagos) para realizar visitas especiales que faciliten la observación directa de datos ofrecidos por la autora.

6) Organizar grupos de alumnos para analizar las citas de textos de Luis Palés Matos y Gabriela Mistral que aparecen en el ensayo.

7) Reunir información sobre las experiencias de Gabriela Mistral durante el tiempo que residió en Puerto Rico y relacionar esas experiencias con su poema sobre nuestra Isla.

8) Localizar otros poemas sobre el mar de Puerto Rico y comparar sus visiones con las de Margot Arce y de Gabriela Mistral.

9) Presentar un mapa topográfico de Puerto Rico para ilustrar observaciones de la autora del ensayo.

10) Invitar a otros ensayistas, poetas, geógrafos, historiadores y sociólogos a dar charlas sobre este tema y organizar coloquios sobre las opiniones expresadas en esas charlas.

H. *Problemas en un posible estudio comparativo sobre los dos ensayos*

1) ¿Cómo aplicaremos, para fines comparativos, los criterios de lo universal y lo nacional a los dos ensayos?

2) ¿Cómo difieren los dos ensayos en cuanto al propósito de la autora?

3) Desde el punto de vista del momento histórico que motiva cada ensayo, ¿qué diferencia podemos señalar?

4) ¿Qué diferencia descubrimos en el tono de los dos ensayos?

5) A base del contraste entre lo telúrico y lo absoluto como categorías simbólicas de las montañas, ¿qué diferencia existe entre los dos ensayos?

6) ¿Cuál de los dos ensayos tiene una estructura más firme, un carácter más orgánico?

7) ¿En cuál de los dos ensayos las montañas adquieren mayor valor simbólico?

8) ¿Cómo difieren los dos ensayos en cuanto a calidad poética?

9) ¿En cuál de los dos ensayos hay mayor depuración del lenguaje?

10) ¿Cuál de los dos ensayos cumple mejor su propósito?

11) ¿Cuál de los dos ensayos nos conmueve más desde el punto de vista humano?

12) ¿En cuál de los dos ensayos se refleja más la personalidad de la autora?

13) ¿Cuáles rasgos diferenciales y semejantes de la personalidad de sus autores revelan estos ensayos?

14) ¿Cuál de los dos ensayos resulta más útil para la enseñanza?

15) ¿Cuál de las dos composiciones desarrolla mejor las características del ensayo?

VIII

RECOMENDACIONES SOBRE LA TECNICA PARA EL ESTUDIO DEL ENSAYO

*

TEXTOS SUGERIDOS

A. Varios pasos. A fin de estudiar un ensayo, ya sea éste de tipo formal o de tipo informal, conviene dar los siguientes pasos:

(1) Creación de ambiente y motivación en la lectura del ensayo: a. Relacionándolo con alguna actividad escolar, con la apreciación de un poema que podamos asociar con el tema o con el autor. b. Lectura oral, sin previo aviso o explicación anterior, de un ensayo breve y de fácil comprensión.

(2) Consideración de la naturaleza de la primera asignación. Si el ensayo es de fácil comprensión, puede leerse completo la primera vez. Si es largo y complejo por su contenido, su estilo y léxico, el maestro o un alumno escogido puede hacer la presentación y exposición de la idea central del ensayo. Algunos ensayos adelantan al principio la tesis que será desarrollada después. En este caso, no habría dificultad para determinar la idea central. En otros casos, la tesis o la idea central no puede ser definida antes de terminar la lectura del ensayo.

(3) Descubrir el método empleado en el desarrollo de la idea central. El método puede variar. Puede ser por exposición argumentativa, por ilustración a base de hechos históricos, de anécdotas, de leyendas y mitos; puede ser por descripción; por el uso de diálogos, etc.

(4) Observar las ideas secundarias y su contribución al desarrollo de la idea central.

(5) Captar la sicología, sentir y personalidad del autor, según se manifiesta en el ensayo.

(6) Determinar el valor o estudio del asunto, bien sea por el asunto mismo o por la forma en que lo ha tratado el autor.

(7) Observar el estilo, analizando los párrafos, las oraciones, el vocabulario, las imágenes, los símiles, las metáforas, las alusiones, etc.

(8) Estar seguro de que se ha captado el mensaje espiritual del ensayo y de que se ha comprendido su estructura formal. (En el estudio de la estructura y de la organización ideológica del ensayo, se podría preparar bosquejos con fines de guiar a la clase y suministrar tarjetas donde el alumno bosqueje los tópicos discutidos.)

B. Bosquejo del contenido. El siguiente bosquejo del contenido del ensayo servirá de guía para el estudio del ensayo que hayan escogido:

(1) Título

(2) Relación del título con el contenido

(3) Asunto. Puede abarcar varios aspectos del conocimiento: (a) científico (b) histórico (c) filosófico (d) poético (e) estético (f) crítico (g) biográfico (h) sociológico.

(4) Valor e interés del asunto
(5) Propósito del autor
(6) Tema central
(7) Temas secundarios. (a) Valor y función de los temas secundarios en relación con el tema central y la intención o propósito del autor.
(8) ¿Cuál es la idea central o la tesis? ¿Cuáles son las ideas secundarias? ¿Qué método usa en el desarrollo de la tesis o idea central?
(9) ¿Hay intención didáctica, estética o filosófica?
(10) Tono del ensayo
(11) Clasificación: (a) de exposición de ideas (b) de crítica (c) de creación.

C. Estructura o Plan del Ensayo

1. Preparación de bosquejos con el fin de guiar a la clase.
2. Suministrar tarjetas para que el estudiante bosqueje los tópicos discutidos.
3. Partes en que se divide el ensayo: introducción, desarrollo y conclusión.
4. Composición lógica o artística

5. Relación entre la estructura y el contenido.

D. Forma y estilo

1. Formas de expresión
   a. exposición, argumento
   b. narración, descripción, diálogo
   c. ilustrar, mediante hechos históricos, de anécdotas, de leyendas, mitos, etc.

2. Lenguaje
   a. Léxico
   b. Sintaxis
   c. Alusiones
   d. Imágenes y metáforas, símil, paradoja, apóstrofe, hipérbole, etc.
   e. Ironía, perífrasis, reticencia, etc.

3. Relación entre forma y expresión y contenido.

E. Localización del ensayo

1. Epoca y cultura
2. Autor

F. Otros métodos convenientes para el estudio del ensayo

1. Lectura rápida para captar la división interna del ensayo, su idea central, el propósito del autor y la manera de tratar el asunto.

2. Realizar una segunda lectura muy cuidadosa para compenetrarse con el asunto.
3. Una tercera lectura para apreciarlo e interpretarlo.
4. Comparación de la manera en que dos autores diferentes tratan un mismo asunto.

G. *Actividades. Sugerencias.* Podemos elaborar un programa de actividades de exploración y motivación, de desarrollo del curso y de evaluación o comprobación. Veamos los aspectos más concretos de esas actividades:[121]

1. De exploración y motivación
   a. Conversación con los estudiantes sobre el significado que tienen para ellos las palabras *ensayar* y *ensayo.*
      (1) Enumérense en la pizarra las diferentes acepciones que den los alumnos.
      (2) Póngase a los estudiantes a buscar un diccionario de lengua española para localizar el significado de ambas palabras.
      (3) Compárense las acepciones dadas por los estudiantes con las que da el diccionario.
      (4) Déjese abierta la pregunta de por qué el género literario que se va a estudiar recibe el nombre de "ensayo".
   b. Búsqueda de información, en enciclopedias o historias de la literatura existentes en la biblioteca escolar, sobre el origen del ensayo moderno, a fin de exponer y discutir en clase dicha información.
   c. Presentación, mediante escritura en la pizarra o en tarjetas, de algunos nombres de autores o de movimientos literarios relacionados con el ensayo para auscultar lo que saben los alumnos sobre ellos.
   d. Preparación de un breve trabajo escrito en que cada alumno trate libremente un tema que le agrade.
   e. Formulación de problemas y organización de debates entre los alumnos sobre el contenido del ensayo.
2. Del contenido de la lectura
   a. Lectura individual en la casa para comentar luego en la clase el posible ajuste de esa lectura a las características del ensayo que han sido señaladas en el Curso.
   b. Preparar un bosquejo del ensayo leído en la casa.

121. En esta sección repetimos, con finalidad complementaria, muchos de los aspectos técnicos señalados en las páginas 86-89 bajo el epígrafe *Actividades. Sugerencias.*

c. Escoger un pasaje del ensayo asignado para lectura en la casa y presentarlo en la clase para realizar allí un ejercicio escrito de interpretación.
d. Realizar, tras la orientación del maestro, una lectura individual en la casa para inferir, a través de la discusión en clase, las características del ensayo.

3. De evaluación y comprobación
 a. Lectura y análisis, para hacer un trabajo escrito, sobre un ensayo no estudiado en clase. Ese trabajo incluirá los siguientes aspectos: datos biográficos sobre el autor; asunto, tema y subtemas del ensayo; estilo del autor; comparación entre este ensayo y otro estudiado en clase; reacción personal al ensayo.
 b. Elaboración de un ensayo original sobre un tema seleccionado libremente por el estudiante.
 c. Redactar un párrafo sobre las características del ensayo como género literario, según el alumno ha podido captarlo durante el Curso.
 d. Bosquejar otro ensayo de tal modo que sea posible captar, a través del bosquejo mismo, los temas principales y secundarios del ensayo.
 e. Realización, por el alumno, de ejercicios como los siguientes:
 (1) Dos columnas pareables: la primera, con el nombre de diversos autores; la segunda, con título de ensayos. (El alumno deberá establecer la equivalencia correcta.)
 (2) Señalar una serie de movimientos literarios para que el alumno indique la contribución de esos movimientos al ensayismo.
 (3) Extraer fragmentos de las composiciones estudiadas en clase para que los alumnos las identifiquen y las comenten; las relacionen con el título y el tono del ensayo; el estado de ánimo y la intención del autor; la idea central y el valor principal del ensayo.
 (4) Si la unidad curricular sobre el ensayo ha sido ubicada después de los otros géneros, el alumno puede afrontar la siguiente prueba: escogerá entre los encabezamientos NOVELA, CUENTO, TEATRO, ARTICULO, POESIA, TRATADO, MONOGRAFIA, colocados en la parte superior de la hoja de examen, el que corresponda a cada una de las características enumeradas en el resto de la hoja de prueba.
 (5) Presentar un texto de una definición errónea del ensayo para que el alumno señale y explique los

elementos ajenos a la naturaleza de ese género. Una reelaboración, realizada por el estudiante, de la definición, podría constituir parte de su respuesta al problema planteado. (El alumno se percataría, mediante este ejercicio, de las dificultades existentes para definir el ensayo.)

(6) Otras preguntas que, en la prueba final del curso, el alumno deberá responder, podrían ser las siguientes: ¿Qué transformación ha experimentado el ensayo después que fue creado por Montaigne? ¿Cuáles son los escritores de mayor relieve que le han dado impulso al ensayo? ¿Cómo ha evolucionado el ensayo en Hispanoamérica? ¿Cuáles son cinco grandes ensayistas de Puerto Rico y en qué tipo de ensayo se han distinguido?

(7) Presentación escrita por el alumno de sus comentarios sobre determinado ensayo. (El profesor evaluará este trabajo, tomando en cuenta los siguientes aspectos: comprensión de la lectura; claridad y corrección en la exposición de las ideas; capacidad reflexiva; habilidad para hacer análisis estilísticos.)

(8) Otras preguntas, dirigidas al estudiante, pueden ser las siguieintes:

¿Qué impresión causó el párrafo introductorio?

¿Cómo desarrolla el autor las ideas en los párrafos activadores, que constituyen la porción mayor del cuerpo del ensayo? ¿Qué predomina en esos párrafos activadores: los sucesos y detalles, las analogías o contrastes, las definiciones, las causas y efectos, los ejemplos y otros modos de ilustrar la intención del autor, los fundamentos, la revisión?

¿Cuáles son los párrafos copulativos, es decir, los que sirven de enlace entre el párrafo que culmina la exposición de una idea y el párrafo que inicia el desarrollo de otra?

¿Llena su cometido el párrafo conclusivo, no porque sea una exposición precisa de una conclusión, sino porque mantenga la atención en torno al problema planteado?

¿Cómo es internamente cada párrafo? ¿Cómo van discurriendo las ideas a través de los nexos que establecen las palabras y las frases?

¿Hay un "decir literario"? ¿Cómo está representado este "decir" en el ensayo estudiado?

¿Cómo están empleadas las palabras: en forma repetitiva, por similaridad y agregado, por contraste, por causa, por resultado, por secuencia temporal, por referencia espacial?

Después de estas consideraciones, ¿tiene unidad el ensayo estudiado? ¿Están integrados debidamente el propósito, la organización y el estilo del ensayo a fin de subrayar la idea-eje en su evolución interna?

¿Cuáles son las palabras que recogen mejor la idea-eje, es decir, la idea central? ¿Qué connotación hay en giros expresivos como, por ejemplo, los subfijos de algunos sustantivos? ¿Esta connotación es peyorativa, elogiosa, irónica, humorística?

¿Hay sencillez en el ensayo estudiado? ¿Cómo definiríamos la sencillez para determinar su existencia en ese ensayo? Compara dos ensayos para precisar mejor este aspecto del estudio.

Escojamos un párrafo y estudiemos el tipo de oración que lo constituye: ¿son oraciones aseverativas, exhortativas, desiderativas o admirativas?

¿Cómo fijaríamos la actitud del autor en este ensayo: como poeta, como meditador, como registrador o es indeterminable?

¿Cuál es el tono adoptado por el autor a lo largo del ensayo: filosófico, crítico, irónico, o familiar?

¿En qué radica el valor principal de este ensayo: la originalidad del asunto, la novedad de la organización de las ideas, la riqueza de los recursos estilísticos, la seriedad del tema?

H. *Textos recomendables para posible análisis en clase, para lectura suplementaria o para ilustrar el desarrollo del género*

Hemos clasificado por orden cronológico estas selecciones, es decir, por la fecha de nacimiento de los autores, para facilitar a los maestros unas muestras encaminadas a trazar también la evolución de este género. La selección que el maestro realice puede ajustarse a uno de estos objetivos:

(1) Determinar los valores internos del ensayo como expresión de nuestra cultura, lo cual supone la tarea de descubrir los valores de nuestra lengua.

(2) Ilustrar ideas sobre la naturaleza del ensayo.

(3) Ofrecer ejemplos para aclarar la evolución del ensayo como género literario.

Los últimos dos objetivos no requieren forzosamente la lectura exclusiva de ensayos de autores españoles, o hispanoamericanos. Ello explica el registro, en esta lista, de autores ingleses y norteamericanos. Observe el maestro los temas hacia los cuales apuntan los títulos de los ensayos individuales o de los conjuntos de ensayos seleccionados.

Abreviaturas empleadas en esta lista de textos:

A.E.U.C. — *Antología del ensayo uruguayo contemporáneo* (2 tomos), por Carlos Real de Azúa. Montevideo, Uruguay, Universidad de la República, 1964.

E.C. — *Ensayistas costarricenses.* Antología preparada por Luis A. Ferrero. San José, Costa Rica, 1972. (Segunda edición).

E.I. — *Ensayistas ingleses.* Clásicos Jackson, tomo 15. Buenos Aires, W. M. Jackson, Inc., 1948.

E.M.M. — *El ensayo mexicano moderno.* [Antología], por José Luis Martínez. 2 vols. México, Fondo de Cultura Económica, 1971. (Colección Letras Mexicanas, Nros. 39 y 40.)

pp. — Páginas.

T.M.M.E. — *Ten Masters of the Modern Essay,* edited by Robert Gorham Davis. New York, Harcourt, Brace & World, Inc., 1966.

Montaigne, Michel Eyquem de, 1533-1592. *Ensayos.* (Varios volúmenes.) Buenos Aires, Editorial Losada, 1941. (Colección Las Cien Obras Maestras.)

Bacon, Francis, 1561-1626. *Ensayos.* Madrid, Editorial Aguilar, 1965.

Gracián y Morales, Baltasar, 1601-1658. *Obras completas.* Madrid, Editorial Aguilar, 1967.

Swift, Jonathan, 1667-1745. *Sugestiones para un ensayo sobre la conversación.* (En: E.I., pp. 34-42.)

Steele, Richard (1672-1729), Addison, Joseph, 1672-1719. *Del talento para la conversación.* (En: E.I., pp. 54-48.)

Feijóo y Montenegro, Benito Jerónimo, 1676-1764. *Teatro crítico universal y cartas eruditas.* Madrid, Instituto de Estudios Políticos, 1946.

Jonhson, Samuel, 1709-1784. *La queja del erudito por su propia timidez.* (En: E.I., pp. 77-81.)

Goldsmith, Oliver, 1730-1774. *Solteronas y solterones.* (En: E.I., pp. 99-101.)

Cadalso, José, 1741-1782. *Cartas marruecas.* Buenos Aires, Editorial Espasa-Calpe, 1952. (Colección Austral, No. 1078.)

Coleridge, Samuel Taylor, 1772-1834. *De la poesía y el arte.* (En: E.I., pp. 125-134.)

Lamb, Charles, 1775-1834. *Disertación acerca del lechón asado.* (En: E.I., pp. 172-179.)
Hazlitt, William, 1778-1830. *El placer de odiar.* (En: E.I., pp. 210-224.)
Larra, Mariano José de, 1809-1837. *Artículos de costumbres.* Madrid, Editorial Espasa-Calpe, 1958. (Colección Austral, No. 306.)
Ruskin, John, 1819-1900. *De los tesoros de los reyes.* (En: E.I., pp. 281-327.)
Arnold, Matthew, 1822-1884. *La educación y el estado.* (En: E.I., pp. 331-357.)
Montalvo, Juan, 1832-1889. *Antología de Juan Montalvo.* México, Ediciones de la Secretaría de Educación Pública, 1942.
Hostos, Eugenio María de, 1839-1903. *Páginas escogidas.* Buenos Aires, Angel Estrada y Cía., S. A., Editores, 1952.
Pater, Walter (1839-1894). *Monna Lisa.* (En: E.I., pp. 377-378.)
Meynell, Alice Christina, 1847-1922. *El color de la vida.* (En: E.I., pp. 381-384.)
Sierra, Justo, 1848-1912. *Discurso en la inauguración de la Universidad Nacional.* (En: E.M.M., vol. 1, pp. 57-79.)
Macaulay, Thomas Babington, 1800-1859. *John Bunyan.* (En: E.I., pp. 265-278.)
Stevenson, Robert Louis, 1850-1894. *Del enamorarse.* (En: E.I., pp. 387-395.)
Martí, José, 1853-1895. *Páginas selectas.* Buenos Aires, Colección Estrada, 1957.
Wilde, Oscar, 1856-1900. *La decadencia de la mentira.* (En: E.I., pp. 407-444.)
Unamuno, Miguel de, 1864-1936. *Ensayos. (Obras completas)* Editorial Afrodisio Aguado, 1958.)
Ganivet, Angel, 1865-1898. *Idearium español y el porvenir de España.* Madrid, Editorial Espasa-Calpe, 1962. (Colección Austral, 139.)
Azorín [José Martínez Ruiz], 1873-1967. *Una hora de España.* Madrid, Espasa-Calpe, 1967. (Colección Austral, No. 801.)
Ortega y Gasset, José, 1883-1955. *El tema de nuestro tiempo.* Buenos Aires, Editorial Espasa-Calpe, Argentina, 1941. (Colección Austral, No. 11.)
Rodó, José Enrique, 1872-1917. *Ariel.* Madrid, Editorial Espasa-Calpe, 1971. (Colección Austral, No. 866.)
Brenes Mesén, Roberto, 1874-1947. *La cultura integral del hombre.* (En: E.C., pp. 101-109.)
Chesterton, Gilbert K., 1874-1936. *Defensa del desatino.* (En: E.I., pp. 447-451.)
Irureta Goyena, José, 1874-1947. *El peligro de la fraternidad.* (En: A.E.U.C., pp. 85-94.)
Maeztu, Ramiro, 1875-1936. *España y Europa.* Buenos Aires, Editorial Espasa-Calpe Argentina, 1947. (Colección Austral, No. 777.)
Forster, E. M., 1879- . *What I Believe.* (En: T.M.M.E., pp. 29-37.)
Frugoni, Emilio, 1880- . *América y Europa.* (En: A.E.U.C., pp. 133-135.)
García Monge, Joaquín, 1881-1958. *Unidos por la cultura.* (En: E.C., pp. 133-140.)

Woolf, Virginia, 1882-1941. *El desván elisabetano.* (En: E.I., pp. 459-467.)

Vasconcelos, José, 1882-1959. *La séptima sinfonía de Beethoven.* (En: E.M.M., vol. 1, pp. 129-132.)

Caso, Antonio, 1883-1946. *Beethoven: La sinfonía IX.* (En: E.M.M., vol. 1, pp. 167-171.)

Lawrence, D. H., 1885-1930. *Morality and the Novel.* (En: T.M.M.E., pp. 47-52.)

Marañón, Gregorio, 1887- . *Raíz y decoro de España.* Madrid, Editorial Espasa-Calpe, 1958.

López Velarde, Ramón, 1888-1921. *La derrota de la palabra.* (En: E.M.M., vol. 1, pp. 249-255.)

Reyes, Alfonso, 1889-1959. *Notas sobre la inteligencia americana.* (En: E.M.M., vol. 1, pp. 332-343.)

Zum Felde, Alberto, 1889- . *Nosotros y los norteamericanos.* (En: A.E.U.C., pp. 200-203.)

Oribe, Emilio, 1893- . *Nacionalidad y cultura.* (En: A.E.U.C., pp. 241-247.)

Huxley, Aldous, 1894-1963. *The Double Crisis.* (En: T.M.M.E., pp. 75-99).

Meléndez, Concha, 1896- . *Figuración de Puerto Rico y otros estudios.* San Juan de Puerto Rico, Instituto de Cultura Puertorriqueña, 1958.

Ramos, Samuel, 1897-1959. *Psicoanálisis del mexicano.* (En: E.M.M., vol. 1, pp. 487-503.)

Pedreira, Antonio S., 1899-1939. *Insularismo. Ensayos de interpretación puertorriqueña.* San Juan de Puerto Rico, Biblioteca de Autores Puertorriqueños, 1942. (Segunda edición.)

Picón-Salas, Mariano, 1901-1965. *Suma de Venezuela,* Caracas, Editorial Doña Bárbara, 1966.

Torres Bodet, Jaime, 1902- . *Reflexiones sobre la novela.* (En: E.M.M., vol. 2, pp. 9-20.)

Mallea, Eduardo, 1903- . *El sayal y la púrpura.* Buenos Aires, Editorial Losada, 1941.

Orwell, George, 1903-1950. *Politics and the English Language.* (En: T.M.M.E., pp. 182-194.)

Arce de Vázquez, Margot, 1904- . *Impresiones. Notas puertorriqueñas. (Ensayos).* San Juan, Puerto Rico, 1950.

Novo, Salvador, 1904- . *De las ventajas de no estar a la moda.* (En: E.M.M., vol. 2, pp. 124-128.)

Fabregat Cúneo, Roberto, 1906- . *Los grandes vacíos sudamericanos.* (En: A.E.U.C., pp. 377-383.)

O'Gorman, Edmundo, 1906- . *Carta sobre la paz.* (En: E.M.M., vol. 2, pp. 232-246.)

Uslar Pietri, Arturo, 1906- . *Letras y hombres de Venezuela.* México, Fondo de Cultura Económica, 1948. (Colección Tierra Firme, No. 42.)

Auden, W. H., 1907- . *American Poetry.* (En: T.M.M.E., pp. 215-226.)

Jiménez, Mario Alberto, 1911-1961. *Los ticos y la máscara.* (En: E.C., pp. 291-302.)

Sábato, Ernesto, 1911- . *El escritor y sus fantasmas.* Madrid, Editorial Aguilar, 1967.

Ardao, Arturo, 1912- . *Dialéctica de la occidentalidad.* (En: A.E.U.C., pp. 413-418.)

McCarthy, Mary, 1912- . *My Confession.* (En: T.M.M.E., pp. 256-280.)

Zea, Leopoldo, 1912- . *En torno a una filosofía americana.* (En: E.M.M., vol. 2, pp. 338-358.)

Paz, Octavio, 1914- . *El verbo desencarnado.* (En: E.M.M., vol. 2, pp. 411-435.)

Rodríguez Monegal, Emir, 1921- . *Una gran reserva de tropicalismo.* (En: A.E.U.C., pp. 552-554.)

Baldwin, James, 1924- . *Notes of a Native Son.* (En: T.M.M.E., pp. 289-308.)

Xirau, Ramón, 1924- . *Palabra y silencio.* (En: E.M.M., vol. 2, pp. 534-545.)

Rama, Angel, 1926- . *La púdica dama "Literatura".* (En: A.E.U.C., pp. 613-616.)

Fernández Retamar, Roberto, 1930- . *Incomunicación y nueva literatura.* (En: *América Latina en su literatura,* Serie "América Latina en su Cultura", coordinación e introducción por César Fernández Moreno, pp. 317-331.) México, Siglo XXI Editores, S.A., 1972.

Bibliografía mínima sobre el ensayo:

Alonso, Antonio. *Antología de ensayos españoles.* Nueva York, Heath and Co., 1936. (Vase: Introducción, por Federico de Onís, y *El ensayo y los ensayistas españoles contemporáneos,* por Eduardo Gómez de Baquero.)

Arciniegas, Germán. "El ensayo en nuestra América". (En: *Cuadernos del Congreso por la Libertad de la Cultura,* París, Revista bimetral, No. 19, julio-agosto, 1958, pp. 125-130.)

Baiz de Gelpí, Elsa. *Meet the Essay.* Río Piedras, University of Puerto Rico, Faculty of General Studies, 1970.

Bioy Casares, Adolfo. *Ensayistas ingleses.* Buenos Aires, J.M. Jackson, Inc., Editores, 1948. Clásicos Jackson, vol. XV.

Cockayne, Charles A. *Modern Essays of Various Types,* New York, Charles E. Merril Co., 1927.

Earle Peter y Mead Robert. *Historia del ensayo hispanoamericano.* México, Ediciones de Andrea, 1973.

Enciclopedia Cultural Uteha, tomo 6, pp. 283-284. México, Unión Tipográfica Editorial Hispanoamericana, 1957.

Encyclopeaedia Britannica, tomo 8, pp. 713-714. Chicago, 1972.

Ferrero, Luis. *Ensayistas costarricenses.* San José, Costa Rica, Librería, Imprenta y Litografía Antonio Lehmann, 1972. (Segunda edición.)

Gorham Davis, Robert. *Ten Marters of the Modern Essay.* New York, Harcourt, Brace & World, Inc., 1966.

Hamilton, Carlos D. "El ensayo hispanoamericano". (Introducción a una Antología del ensaño hispanoamericano.) (En: *Cuadernos*

Americanos, México, Año XXX, No. 3, mayo-junio, 1971, pp. 239-243.)

Houh Law, Frederich. *Modern Essays and Stories.* New York, The Century Co., 1951.

Jameson, Robert U. *Essays Old and New.* New York, Harcourt, Brace Co., 1957.

Kazin, Alfred. *The Open Form. Essays for Our Time.* New York, Harcourt, Brace & World, Inc., 1961.

Martínez, José Luis. *El ensayo mexicano moderno.* 2 vols. México, Fondo de Cultura Económica, 1971. (Segunda edición.)

Pagán de Soto, Gladys. *El ensayo: expresión viva del pensamiento.* (Guía para el maestro.) Hato Rey, Depto. de Instrucción, 1976. (Tercera ed.)

Real de Azúa, Carlos. *Antología del ensayo uruguayo contemporáneo.* Montevideo, Uruguay, Universidad de la República, 1964.

Robles de Cardona, Mariana. *El ensayo de la generación del 30.* (En: Literatura Puertorriqueña, 21 Conferencia. San Juan, Instituto de Cultura, 1960.)

Torner, Florentino M. *Antología de ensayos.* México, Editorial Orión, 1967.

Vitier, Medardo. *Del ensayo americano.* México, Fondo de Cultura Económica, 1945. (Colección Tierra Firme, No. 9.)

Zavala, Iris M., y Rodríguez, Rafael. *Libertad y crítica en el ensayo político puertorriqueño.* Río Piedras, Puerto Rico, Editorial Puerto, 1973.

CONCLUSIONES

[1]

El ensayo, como género literario, constituye un modo de entrar en contacto con la realidad a través del complejo afectivo-conceptual que representa la palabra escrita y, en tal sentido, puede erigirse en eficaz instrumento educativo por los horizontes que abre en la sensibilidad y la inteligencia del alumno.

La doble vertiente del ensayo contribuye a forjar una integración de facultades humanas —la idea embridando al sentimiento; el sentimiento matizando la idea— que encauzaría con mayor lucidez el esfuerzo de alcanzar la excelencia espiritual y de adscribirle un alto sentido a la vida.

[2]

El ensayo muestra, en las diversas modalidades de su concreción formal y en toda la gama de sus motivaciones, un vasto mundo incitador de inquietudes en torno de esa larga y laboriosa trayectoria humana representada por la tradición cultural y reflejada —generando nuevos elementos— en la vida contemporánea. Depositario de todos los valores de esa trayectoria, ya que no discrimina temas y, por el contrario, reivindica aspectos marginados por el adocenamiento y transfigura el lugar común, el ensayo puede tener un efecto multiplicador en la curiosidad del alumno y desarrollar en éste un sentido de observación, un afán de búsqueda entusiasta en las raíces de la cultura como plasmación del genio del hombre.

[3]

Hemos presentado también los datos que nos revelan el origen del ensayo y su trayectoria, insertando en ella los modos particulares que adopta en el mundo hispanoamericano y, más específicamente, en la literatura puertorriqueña. Esta revisión puede ofrecer al alumno los elementos de juicio necesarios para dirigir sus inquietudes propias y preparar su ubicación como ser humano, utilizando el acervo cultural ya internalizado a través del estudio. La atención que el alumno ponga en esta trayectoria puede generar

9.

estímulos para el estudio de otras literaturas o de otras materias y para desarrollar una visión general de la cultura.

[4]

Hemos tratado de reunir elementos para discernir la naturaleza del ensayo y, con tal propósito, nuestro esfuerzo ha estado dirigido hacia la precisión de rasgos definitorios, tarea que implica, como lo muestra nuestro trabajo, un rastreo comparativo de las observaciones de varios autores en torno de la materia que estudiamos. Tras esa pesquisa, podemos ver el ensayo como una composición en prosa cuyo autor ejerce su libertad para escoger el tema, proyectar su personalidad y adoptar giros muy particulares en el desarrollo de la obra, lo cual no implica mutilación de ideas en el ensayo, sino que contribuye a que éste vaya perfilándose como criatura signada por dos elementos fundidos a su ser: tratamiento cambinado a base de una operación conceptual-afectiva. Los elementos constitutivos del ensayo pueden ser definidos a base de los siguientes aspectos: estructura, temas, método, dimensión, carácter personal, flexibilidad, actitud del autor, permanencia, naturaleza interna, génesis, función ancilar y alcance.

[5]

El estímulo educativo que se deriva del ensayo nace del mismo mecanismo interno que genera su resonancia humana. Por su apelación simultánea al intelecto y a la emoción —la imaginación insuflando gracia a la atmósfera escuetamente teórica—, el ensayo adopta giros que estimulan el crecimiento integral del ser humano. Las contemplaciones y búsquedas que el ensayo supone germinan como apertura de perspectivas para el educando y lo mueven hacia su propia conciencia, sugiriéndole múltiples alternativas vitales. Desde esta vertiente, el ensayo promueve un sentido de libertad que se convierte en fundamento de la educación. Ver con la inteligencia los horizontes que la emoción intuye constituye una estructura de crecimiento humano en el más noble sentido de ese fenómeno. La función educativa del ensayo va plasmándose en esa dirección.

[6]

La clasificación de las modalidades del ensayo y la determinación de su naturaleza constituyen una ardua tarea de precisión de límites y de estructura interna. Tras la presentación de tres clasificaciones, elaboradas por especialistas de distintas nacionalidades, hemos fundido elementos de unos y otros para asumir una posición a tal respecto y el resultado fue un cuadro general que incluye seis modalidades: ensayo expositivo-interpretativo, ensayo de creación literaria, ensayo narrativo, ensayo-discurso u oración, ensayo de crítica y ensayo periodístico. Cada modalidad posee sus valores propios y su particular zona de influencia desde el punto de vista educativo.

[7]

La historia de la formación del ensayo como género muestra lejanos antecedentes en pasajes aislados de escritores antiquísimos, incorporados al acervo de pueblos del extremo Oriente o al caudal de textos bíblicos que moldearon la religión predominante en Occidente, pero en esas obras se diluyen las notas específicas de carácter ensayístico. En obras representativas de la antigüedad clásica y del medioevo hay otros atisbos de ese género, pero el mayor impulso sobrevendrá con el Renacimiento y su marcada afirmación humanística. El ensayo lo va a fundar, propiamente, Miguel de Montaigne, en el último tercio del Siglo XVI. Montaigne imprime al ensayo un acento subjetivo que, más tarde, en Inglaterra, sería relevado por una línea de tono y enfoque más impersonal y expositivo. Dentro de esta tradición, los grandes maestros del ensayo surgirán en la Inglaterra del Siglo XIX.

[8]

Varios escritores españoles de fines del Siglo XIX aceleran el paso del ensayo en su país y dan el impulso decisivo para su extraordinaria eclosión en el Siglo XX. En los Estados Unidos, el ensayo del siglo XX sigue, en términos generales, el patrón inglés y se ha manifestado principalmente en la crítica literaria.

[9]

En Hispanoamérica, los escritores que echan las bases del ensayo son prosistas neoclásicos y románticos, pero el género comienza realmente en el 1900, con el *Ariel,* del uruguayo José Enrique Rodó. El ensayo hispanoamericano responde a las urgencias de una dolorosa realidad social y a la inquietud por aclarar perfiles colectivos. A figuras representativas le hemos adscrito una fórmula que puede condensar el núcleo de sus motivaciones. Entre los ensayistas más recientes se manifiesta muy vigorosamente una tendencia a la experimentación de estilos, a la ampliación temática, así como una voluntad de cumplir un función rectora en la sociedad.

[10]

El ensayo en Puerto Rico apunta, con perfiles bastante definidos, bajo el signo del romanticismo y su figura representativa de aquel período es Manuel Alonso. Este comienzo revela ya un espíritu de disconformidad, revaloración y anhelo de aclarar la identidad nacional. En esa trayectoria incidirán figuras como Tapia, Hostos, Acosta y Fernández Juncos. Tras un período de transición, abierto con el cambio de dominación colonial en nuestro país, el período que recoge la más densa y amplia manifestación del género es el que llena, con inusitado vigor, la generación del Treinta. Otros ensayistas de las décadas inmediatas se insertan en ese repertorio de inquietudes, pero se ha hecho patente en los últimos quince años un florecimiento, verdaderamente impresionante, de nuevos enfoques, resultado del dramático salto cualitativo en el proceso acelerado de conscientización sobre nuestra problemática y de su vinculación a las nuevas fuerzas que emergen en otras latitudes del mundo. El conjunto y la variedad de libros y publicaciones periódicas dan testimonio de este tránsito hacia visiones más abarcadoras en contenido y formas expresivas. Nuevas corrientes se han incorporado al caudal formativo de la personalidad de nuestros ensayistas. Un registro, obviamente incompleto, de la más reciente ensayística puertorriqueña, aparece en nuestro estudio, refiriendo nombres y publicaciones que cubren un vasto panorama abarcador de manifestaciones del auge de estas modalidades hasta el año 1978.

[11]

Exponemos los problemas básicos sobre los cuales pudieran fundarse los criterios para la enseñanza del ensayo como género literario. Creemos que la definición de estos problemas aclara nuestro enfoque sobre la naturaleza del ensayo y ayuda a descubrir sus implicaciones educativas. De esta confrontación problemática, el lector surge como un colaborador en la obra ensayística por el grado de dinamismo que el ensayo ha generado en la relación trifásica de autor-obra-lector. De aquí partimos hacia la elaboración de opiniones en torno a objetivos generales y métodos correlativos, incluyendo resultados en cuanto a destrezas, conocimientos y actitudes. Sugerimos, incluso, numerosas actividades dentro de un programa debidamente articulado, para alcanzar objetivos pedagógicos en el tratamiento del ensayo. Presentamos dos casos de ensayos ejemplares en Puerto Rico para ofrecer la oportunidad de ilustrar las características, tipos y alcances en este género y, a modo de trabajo complementario, reunimos observaciones sobre el sentido de cada uno de estos ensayos, dejando los demás aspectos del análisis como tarea posible para los alumnos y los profesores.

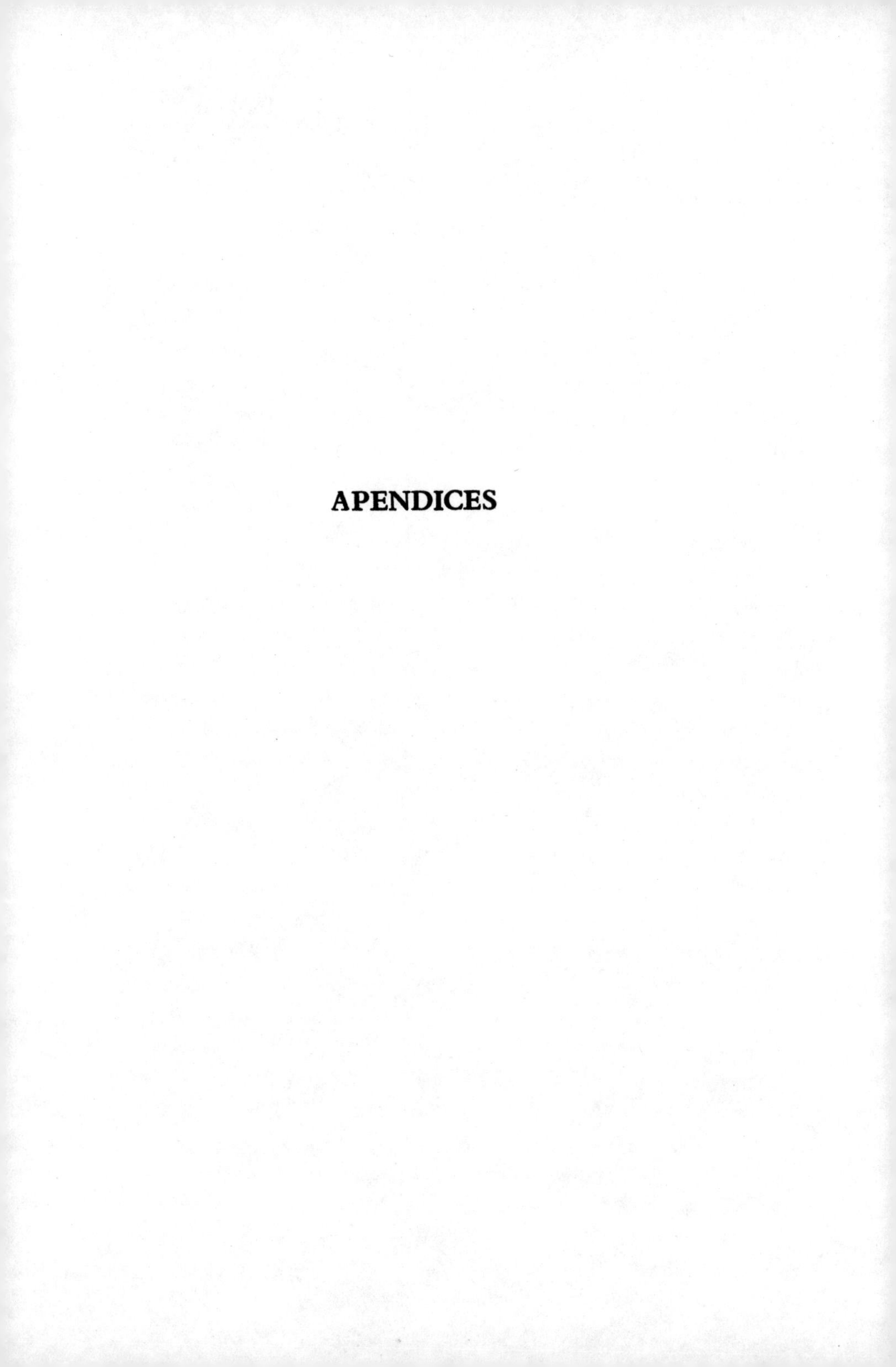

APENDICES

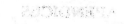

APENDICE I

PRESENCIA DEL YUNQUE Y ASOMANTE

por CONCHA MELÉNDEZ

Alzar los ojos a las montañas en momentos de turbación o amenaza, ha sido para quienes conservan aún soportes religiosos o idealistas, una manera de afianzamiento espiritual. Las palabras más consoladoras de Cristo fueron dichas después de orar en la montaña, confirmando así la eficacia de la meditación en las alturas, en soledad. Los indios del Perú adoran todavía a los cerros como dioses protectores y suben a ellos a inquirir sobre el destino. Rosendo Maqui, en la novela más reciente de Ciro Alegría, cree que los grandes montes celebran consejos a la luna para discutir los secretos de la vida.

Nuestra Isla atravesada de serranías, nos incita a este ejercicio de mirar desde altura. El Yunque, que gusto de evocar en lejanía, en un amanecer de fuertes tonalidades rosas como lo pintó Walt Dehner, fue la sede del dios benéfico de los aruacos y sigue dándonos aguas puras y vegetal abundancia. Su presencia inmutable nos acompaña en el dolor y la esperanza desde el principio de nuestra historia y será leal testigo de ella siempre. Centinela de la costa, nos da ejemplo de cordura vigilante; mirador de nuestro oriente, alude a días renovados, a resurrecciones posibles después de la sequía interna y la desilusión.

El conjunto de lomas que se afirman en la planicie de Aibonito celebra consejo en las noches de luna discutiendo los modos de conservar la tradición que sustenta. Lomas del Asomante, según la geografía, nos dan la lección necesaria a nuestro destino de isleños: esfuerzo de mirar desde la altura, de mantener la actitud asomante a lo nuestro y a lo universal, con la persistencia que libra al que se asoma de visiones equivocadas o fugaces.

Quisiéramos ver con esta mirada de montaña nuestro presente. Sabemos sin embargo, que tal mirada es fruto de largo aprendizaje, de sabiduría lograda después de renunciaciones dolorosas. Intentaremos solamente explorar con aspiración de altura, el momento de transicisión y crisis que vivimos.

Tránsito y crisis universales, abarcadoras de la cultura utilitaria de nuestro siglo, despreocupado de lo absoluto y de aquellos imperativos morales que en otros tiempos frenaron los peligros acompañantes del poder: la vanidad, el egoísmo, la pasión. La crisis y el trance puertorriqueños se expresan en conflictos locales, que bien mirados son universales. Aquí, como en todas partes, el poder puede acrecentar la vanidad, desatar el egoísmo, y encender la pasión cegadora que lleva a la injusticia. Los psicólogos y sociólogos que trascienden el utilitarismo y luchan por el establecimiento de valores perdurables que lleven a una cultura de orientación espiritual, aconsejan el dominio de nosotros mismos, el cumplimiento estricto de nuestros deberes como medio de acelerar el tránsito a ese orden más satisfactorio. Pero ambas cosas son virtudes de los menos y éstos, casi nunca saben conquistar poderes materiales. Y es así como por vanidad olvidamos el decoro, por egoísmo desconocemos el valer de los demás, y por pasión repartimos los frutos del poder con injusticia, dejando vacías las manos que por sus merecimientos debieron colmarse.

Para alcanzar la contención, para cumplir deberes, precisamos conocer nuestra propia intimidad. Este conocimiento nos mostrará nuestras limitaciones que debemos admitir humildemente. Sólo así podremos aceptar o rechazar el camino que el poder nos ofrezca. Enseñe el que haya cultivado más el saber; el que posea riqueza moral suficiente para hacer de sus lecciones substancia de su propio vivir. Juzgue el que haya afinado su juicio en las disciplinas con que va a medir la obra de los otros; cure el que conozca las raíces del mal y las medicinas eficaces.

Pensamos en la reforma de todas las cosas. Reformemos con discernimiento, con olvido del "yo", cruzando las fronteras del "tú" y del "otro" con tolerancia y generosidad. Reforma implica que no enseñe quien no sustente sus conocimientos sobre bases de caballerosidad; que no legisle, quien por su índole y torpeza no debió jamás intentarlo, ni haga crítica literaria el labrador. Es decir, que cada cual se atenga al menester que le es propio de su circunstancia y las posibilidades de su talento y experiencia. Sólo así encontrará el oportunista regocijado por la crisis que hace fácil sus intrigas perversas, valla y derrota. Toda reforma que descuide este principio de ajuste indispensable será una reforma inválida.

La presencia del Yunque y del Asomante es perdurable; verá las reformas del presente y del futuro con la misma expresión de sosegado equilibrio. Que su ejemplo nos dé mirada de montaña y nos sostenga en el tránsito hacia una época que esperamos más justa, iluminada por el espíritu.

San Juan, abril de 1942.

APENDICE II

EL PAISAJE DE PUERTO RICO

por MARGOT ARCE DE VÁZQUEZ

De nuestra isla de Puerto Rico se podría decir lo que Cervantes dijo de Salamanca: "que enhechiza la voluntad de volver a ella a cuantos de la apacibilidad de su recinto hayan gozado". El tipo geográfico de isla, perfectamente hermético en su forma de rectángulo regular, ha determinado, con paradojas, su economía y el carácter de sus habitantes. El puertorriqueño no es hombre de mar ni comerciante astuto; mas, como isleño, se deja ganar fácilmente por los aires de afuera.

Mirada desde un avión, la isla parece una pequeña alfombra de verdes variados y ondulantes. Todo tiene en ella dimensión breve, gracia infantil. Un americano del Sur, recordando sus Andes, llamaba a nuestros cerros "simulacros de montañas"; nuestros árboles no tienen nunca el tamaño del samán o del panamá del Istmo.

La superficie de la isla se ondula como un lago verde agitado por la brisa. Toda la llanura de la costa comienza a encresparse a medida que avanza tierra adentro con un ritmo de ondas suaves que ascienden poco a poco y sin violencia hasta la cordillera central. La cordillera la divide en dos vertientes de signo opuesto: la vertiente norte, húmeda; la del sur, seca y con alguna tímida aspereza de contorno. Esa oposición también es visible en el carácter y en el lenguaje. Navarro Tomás ha señalado cómo el español de Puerto Rico presenta caracteres diferentes en cada una de estas zonas. Abundan las colinas; cortinas y cortinas de cerros pequeños se multiplican hasta el horizonte y, por su forma redonda y diminuta, parecen de juguete. La cantidad y sucesión de colinas presta a la tierra un aparente dinamismo; cambia ante nuestros ojos sin darnos ni darse reposo. El hombre se siente rodeado por esta vecindad en movimiento y alucinado por la variedad de líneas y por la calidad fosforecente de los verdes vegetales. La proximidad de la tierra ataja el paso y la vista. Se siente siempre bajo los pies; se tropieza con ella como si alzara muros a nuestra libertad de acción. Esta inestabilidad del paisaje, esta sucesión de planos, que ocurre plácidamente, ha influido en nuestro carácter como pueblo. Nos ha hecho sensuales e inquietos; nos ha forzado a agarrarnos a la tierra en busca de equilibrio y a hundir ávidas raíces en el suelo. Recordemos, por oposición, lo que se ha dicho del paisaje de la pampa y del de la meseta castellana en donde el hombre conoce la sed de absoluto. Difíciles son en Puerto Rico la mística y la filosofía; lo telúrico tira de nosotros y quiere vencer lo espiritual.

El clima de la isla nos define como hombres de un trópico aternuado. En la poesía de Palés Matos este tropicalismo se evidencia con tanto relieve como en la de Lloréns Torres. Para describir nuestro sol, Palés emplea versos llenos de fuego y aspereza:

La luz rabiosa cae
en duros ocres sobre el campo extenso;
humean rojas de calor las piedras,
y la humedad del árbol corpulento
evapora frescuras vegetales
en el agrio crisol del clima seco.

No es extraño que el hombre de Puerto Rico, acosado por humedad y calores, sea de movimientos pausados, incapaz a menudo de acción enérgica, incapaz de previsión. La actividad febril y postiza que se registra en las ciudades es el resultado de la influencia norteamericana, no de un ritmo innato puertorriqueño. El *pitiyanqui* posee cierta torpeza grotesca de gestos que deforma su natural modo expresión. El calor y la luz nos hacen excitables, soñadores, indecisos. Como dice el Conde de Keyserling en sus *Meditaciones Suramericanas,* solemos actuar por el impulso ciego de la gana. Cuando sobre la isla se desata la furia del huracán tropical, Puerto Rico sale de este ritmo apacible, de esta dulzura de égloga. Pasado el temporal, se vuelve a construir la casa arruinada, a cultivar el campo abrasado y a esperar con paciencia casi fatalista el nuevo desastre. Tiene el hombre de esta tierra un admirable desdén por los bienes materiales y una aceptación admirable también, trágica a veces, de toda desgracia. En la picante intención de una copla o en el chiste despreocupado suele salvarse de la amargura. Este estoicismo le viene del español, con la diferencia de que en el español la voluntad está más viva. Las desgracias resbalan por su piel sin dejarle arañazos hondos. Sabe hasta contemplar objetivamente sus dolores. Palés Matos describe, por ejemplo, el huracán como espectáculo puro, con sentido estético:

Cuando el huracán desdobla
su fiero acordeón de ráfagas,
en la punta de los pies,
ágil, bayadera, danzas,
sobre la alfombra del mar,
con fina pierna de palmas.

Su principal virtud es una resistencia terca y sin prisa que va venciendo el tiempo y labrando su propio destino.

La isla está ceñida por un mar maravilloso, verde claro en la costa, azul cobalto cerca del horizonte; mar amplio, fuerte y tranquilo que recuerda al Mediterráneo en su luz y en su hermosura viril. Sus espumas se deshacen sobre la arena dorada y luminosa de la costa. Las palmeras, con sus troncos morenos y sus penachos oscuros a manera de flores gigantescas, estilizan en álgidas líneas el paisaje. En la tarde, el mar parece de ópalo porque recoge los matices delicados del cielo; en la noche se vuelve azul profundo con espumas de plata.

El cielo de Puerto Rico es bajo, tan bajo que podría tocarse con la mano. Parece volcarse sobre las hondonadas y los valles, vaciarse en ellos. Sólo se dilata y eleva sobre las llanuras de la costa. También es azul cobalto como el mar y tiene una fosforecencia metálica. Muy pocas veces posee la limpidez absoluta del cielo de Castilla; sus nubes redondas y blancas repiten la ondulante variedad de la tierra.

Predomina el día sobre la noche. La luz tremenda del sol da calidad de metal bruñido a cuanto toca; su reverberación encandila y nos parece que miramos a través de una gasa que diluye los contornos. El rápido crepúsculo pasa de la luz a la oscuridad en minutos; pero esos minutos de la transición descubren una belleza imponderable. El sol baja de prisa, enorme disco color naranja; el cielo se incendia en rojo, oro, verde, gris, rosa pálido; los tonos pasan por todos los grados de la escala de intensidad, y aunque están llenos de luz, fingen la consistencia de lo material. La noche viene de golpe; las estrellas bajas se mecen sobre la copa de las palmeras y casi se confunden con las luces verdosas de los cucubanos. La luna del trópico ilumina los cielos con una clarísima luz de plata. El encanto de nuestras noches podría describirse con los conocidos versos del *Nocturno Tercero* de José Asunción Silva:

Una noche toda llena de murmullos, de perfumes y de músicas de alas,
una noche en que ardían en la sombra nupcial y húmeda las luciérnagas fantásticas,
una noche en que la luna llena esparce por los cielos azulosos, infinitos y profundos, su luz blanca...

La tierra de Puerto Rico, ceñida por ese mar viril y bajo ese cielo voluptuoso, encierra todos los atractivos de lo femenino. Su pulpa es blanda, llena de humedad y frescura. Apenas hay el escorzo valiente de una roca; abundan, en cambio, las gredas amarillas, pardas, rojizas y purpúreas, que tan dúctiles son en las manos del alfarero rural. Predomina el verde como eje del paisaje. Pero es difícil imaginar la inverosímil variedad de sus matices desde los verdes más tiernos hasta los más secos, desde los verdes apagados hasta los brillantes. En el día, la tierra huele a humedad, al denso azahar y a la turbadora acacia; en la noche los aromas se hacen más penetrantes y se funden en un olor indefinible que embriaga.

También hay sonidos: el de la brisa ligera sobre las hojas, los susurros de millares de insectos, el grito variable y agudísimo del coquí, el rumor de las aguas, la voz ronca del mar. Los pocos pájaros cantan dulcemente. Quien haya oído en el silencio de la noche del trópico el canto del ruiseñor no lo olvidará nunca. Su hermosura recuerda las ardientes y purísimas liras del *Cántico Espiritual.*

Algunos ríos pequeños y de lento fluir cargan un agua densa y amarilla; otros, claros y juguetones, saltan sobre el lecho de limpias arenas. No hay árboles en sus orillas; corren entre los juncos y las cañas y pueden reflejar el cielo. El cañaveral cierra el horizonte con su oleaje de lenguas verdiazules y sus guajanas de un violeta delicado, que repiten la imagen de la espuma marina. Monte arriba, los cafetales crecen olorosos y sombríos. De la imprecisa masa de verdura, se destaca la geometría sorprendente del plátano con sus hojas como estandartes desplegados, los troncos dóricos de la palmera real, las rizadas y gemidoras hojas del bambú, la piña, acorazada y coronada, el árbol del pan. Tal perfección de líneas parece hija del arte y no de la naturaleza. Del yagrumo se podría decir lo que Góngora dijo del álamo: que tiene las hojas inciertas y nerviosas. La ceiba se parece a los olmos del norte. Es el gran señor de nuestros bosques; su apostura denuncia noble y orgullosa soledad. Cuando florecen los flamboyanes, la violencia de su flor roja contrasta con los verdes húmedos del fondo. A lo lejos, semejan la llamarada de una hoguera que ardiera sin humo y sin consumirse.

La isla es paisaje puro. Los pueblos conservan un manso sabor campesino. Guardan su aspecto colonial intacto, con la plaza mayor en el centro, la iglesia orientada y las casas terreras pintadas de colorines agrupándose en callejuelas largas y estrechas. No hay un estilo de arquitectura regional. Junto a las viejas y sólidas construcciones de tiempos de España, el abigarramiento exótico de los chalets minúsculos con ventanas de absurdos cristales. A la vida monótona y conservadora de estos pueblos se ha superpuesto la jadeante prisa norteamericana. El contraste es patético. La dulzura de égloga se va encrespando con el agrio, inhumano tumulto de la vida fabril e industrial. Aquella "honda y ancha felicidad" de las décimas de Lloréns ha desaparecido. El observador interesado recoge, en cambio, la impresión trágica de una explotación colonial inmisericorde, la misma que el amargo Palés ha trazado en rápida caricatura:

Antilla, vaho pastoso
de templa recién cuajada,
trajín de ingenio cañero,
baño turco de melaza;
aristocracia de dril
donde la vida resbala
sobre frases de natilla
y suculentas metáforas.
Estilización de costa
a cargo de entecas palmas;
idioma blando y chorreoso
mamey, cacao, guanábana...
En negrito y cocotero
Babbitt turista te atrapa;
Tartarín sensual te sueña
en tu loro y tu mulata;
sólo a veces don Quijote,
por chiflado y musaraña,
de tu maritornería
construye una dulcineada.

El hombre de estas tierras mezcla en su sangre criolla lo español y lo africano; la herencia india cuenta poco. Habla un español dulce y relajado, de ritmo cambiante y de timbre alto. Su entonación, más melódica y ondulante que la española, se eleva sobre el tono normal para precipitarse en seguida en inflexiones rápidas y sincopadas. Nuestra música popular tiene la monotonía sensual de todas las músicas tropicales y se parece, en las *plenas*, al habla puertorriqueña. Somos sentimentales; los sentidos y las emociones nos mandan el espíritu. Nuestra hospitalidad llega a veces hasta la imprudencia. Por desengañados secularmente, nos inclinamos al fatalismo. Nuestro temperamento nervioso y susceptible nos hace indecisos y recelosos. Ostentamos una alegría despreocupada y burlona que desmiente la callada nostalgia de los ojos. Maduramos pronto como los frutos del trópico y nos apagamos pronto como la orgía de colores de nuestro crepúsculo. En el amor y frente a la muerte seguimos siendo españoles; para el vivir diario tenemos la ternura del negro y la parquedad del castellano. Se da en nosotros esa síntesis de lo primordial y de lo refinado que Keyserling considera como la promesa de una cultura original. El extranjero que viene a Puerto Rico, libre de prejuicios, sabe gustar de la belleza de nuestro paisaje y de la dulzura de nuestro mundo moral. Un español, Gili Gaya, describía así el encanto acogedor de esta tierra:

"Se siente allí el halago de deslizarse por la atmósfera de las posibilidades ilimitadas. La angostura de los frenos racionales se quiebra pronto, y el afán de saltar más allá de toda lógica se convierte en especial necesidad del espíritu. Junto a esa palma o aquel mango, desearíamos hundir como ellos nuestras raíces en el suelo, y sentirnos por arriba, suavemente mecidos por la brisa. El gallego previsor y el yanqui activo son un contrasentido en esta isla de las curvas gráciles... Las olas van llegando a la costa con suave ondulación de un vals. Nada de encrespamientos ni de espumas desmelenadas. Las sirenas de Ulises se han refugiado aquí y envuelven la mente del extranjero en una canción acariciadora que le hace olvidarse de la patria lejana. Nadie puede sentirse extraño en Puerto Rico; es la isla de la flor del loto, sedante y borradora de nostalgias."

Y Gabriela Mistral, hija de un país duro de mar y de montaña, con sus ojos cargados de la majestuosa belleza del Aconcagua y del turbulento Pacífico, ha cantado también la gracia infantil de Puerto Rico, hecha de ternura y de espiritualidad:

Isla de Puerto Rico,
isla de palmas,
apenas cuerpo, apenas,
como la Santa,
apenas posadura
sobre las aguas.
La que como María
funde al nombrarla,
y que como paloma,
vuela, nombrada,
del millar de palmeras
como más alta,
y en las dos mil colinas
como llamada.
Isla en caña y cafés
apasionada;
tan dulce de decir
como una infancia;
bendita de cantar
como un ¡hosanna!
Sirena sin canción
sobre las aguas
ofendida de mar
en marejada:
¡Cordelia de las olas,
Cordelia amarga!...

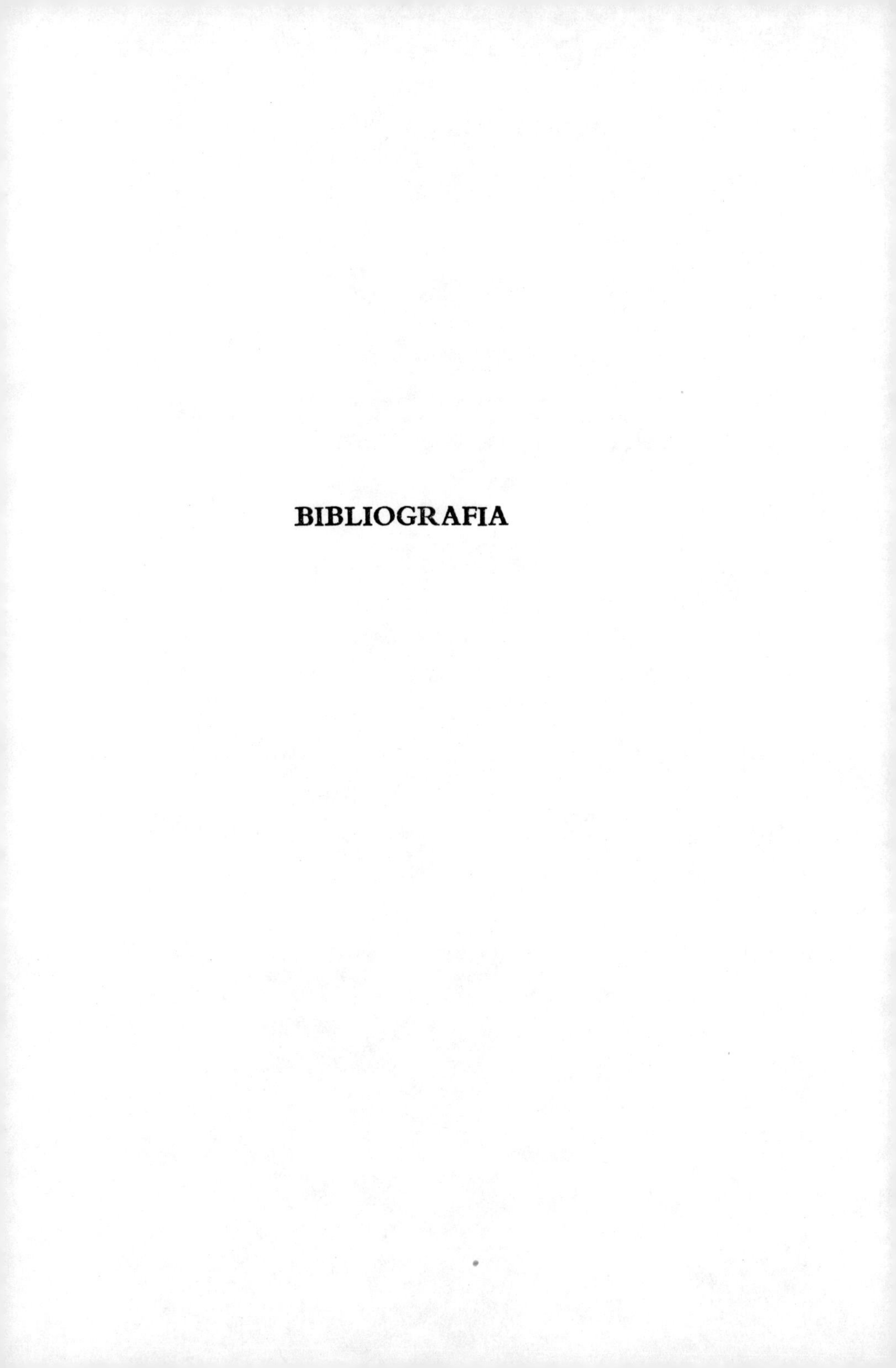

BIBLIOGRAFIA

Alonso, Martín. *Ciencias del lenguaje y artes del estilo.* Madrid, Aguilar, 1955.

Anderson Imbert, Enrique. *Historia de la literatura hispanoamericana.* 2 vols. México, Fondo de Cultura económica, 1961.

Arce de Vázquez, Margot. "El paisaje de Puerto Rico". En: *Impresiones. notas puertorriqueñas,* pp. 17-24. San Juan, P. R., Editorial Yaurel, 1950.

Arciniegas, Germán. "El ensayo en nuestra América". En: *Cuadernos del Congreso por la Libertad de la Cultura,* París. Revista bemestral. No. 19, julio-agosto, 1958, pp. 125-130.

Bacon, Francis. *Ensayos.* Madrid, Editorial Aguilar, 1965.

Bacon, Wallace A. *The Art of Interpretation.* New York, Holt, Rinehart and Winston, Inc., 1966.

Baiz de Gelpí, Elsa. *Meet the Essay.* Río Piedras, University of Puerto Rico, Faculty of General Studies, 1970.

Bioy Casares, Adolfo. *Ensayistas ingleses.* Buenos Aires, W. M. Jackson, Inc., Editores, 1948. Clásicos Jackson, vol. XV.

Cabrera, Francisco Manrique. *Historia de la literatura puertorriqueña.* New York, Las Américas Publishing Co., 1956.

Cevallos García, Gabriel. "Estudio preceptivo". En: *Lecturas hispánicas.* Río Piedras, Puerto Rico, Editorial Edil, 1974.

Earle, Peter G. y Mead, Robert G. *Historia del ensayo hispanoamericano.* México, Ediciones de Andrea, 1973.

Enciclopedia Cultural Uteha. Tomo 6. México, Unión Tipográfica Editorial Hispanoamericana, 1957.

Encyclopaedia Britannica. Tomo 8. Chicago, 1972.

Ferrero, Luis. *Ensayistas costarricenses.* San José, Costa Rica, Librería, Imprenta y Litografía Antonio Lehmann, 1972. (Segunda edición.)

González Porto Bompiani. *Diccionario de autores.* 3 vols. Barcelona, Montaner y Simón, 1964.

Gorham Davis, Robert. *Ten Masters of the Modern Essay.* New York, Harcourt, Brace & World, Inc., 1966.

Halmilton, Carlos D. "El ensayo hispanoamericano. (Introducción a una antología del ensayo hispanoamericano".) En: *Cuadernos Americanos,* México, Año XXX, No. 3, mayo-junio, 1971, pp. 239-243.

Kazin, Alfred. *The Open Form. Essays for Our Time.* New York, Harcourt, Brace & World, Inc., 1961.

Laguerre, Enrique. "Un libro de Modesto Rivera". En: *Pulso de Puerto Rico, 1952-1954.* San Juan, Editorial Club de la Prensa, 1958.

Lapesa Melgar, Rafael. *Introducción a los estudios literarios.* Madrid, Editorial Anaya, 1965.

Martín, José Luis. *Literatura hispanoamericana contemporánea.* Río Piedras, Puerto Rico, Editorial Edil, 1973.

Martínez, José Luis. *El ensayo mexicano moderno.* 2 vols. México, Fondo de Cultura Económica, 1971. (Segunda edición.)

————. "La obra de Alfonso Reyes". En: *Cuadernos Americanos,* México, Año XI, No. 1, enero-febrero, 1952, pp. 109-129.

Meléndez Concha. "Presencia del Yunque y Asomante". En: *Obras completas,* tomo II, pp. 11-13. San Juan, Puerto Rico, Instituto de Cultura Puertorriqueña, 1970.

Montaigne, Michel de. *Ensayos.* 3 tomos. Buenos Aires, Editorial Losada, 1941.

Onís, Federico de. "El ensayo contemporáneo". En: *España en América. Estudios, ensayos y discursos sobre temas españoles e hispanoamericanos.* Río Piedras, Ediciones de la Universidad de Puerto Rico, 1955, pp. 378-382.

Pagán de Soto, Gladys. *El ensayo: expresión viva del pensamiento. (Guía para el maestro).* Hato Rey, Puerto Rico, Editorial del Departamento de Instrucción Pública, 1976. (Tercera edición.)

Picón-Salas, Mariano. "En torno al ensayo". En: *Cuadernos del Congreso por la Libertad de la Cultura,* París, No. 8, septiembre, 1956.

Real de Azúa, Carlos. *Antología del ensayo uruguayo contemporáneo.* 2 tomos. Montevideo, Uruguay, Universidad de la República, Departamento de Publicaciones, 1964.

Reyes, Alfonso. "El deslinde". En: *Obras completas,* tomo XV, México, Fondo de Cultura Económica, 1963.

Rivera de Alvarez, Josefina. *Diccionario de literatura puertorriqueña,* Tomo I: *Panorama Histórico de la literatura puertorriqueña.* San Juan de Puerto Rico, Instituto de Literatura Puertorriqueña, 1970.

Rivera, Modesto. *Manuel Alonso, su vida y su obra.* San Juan, P. R., 1966.

Robles de Cardona, Mariana. *Antología crítica del ensayo en Puerto Rico.* [Monografía inédita]. Universidad de Puerto Rico, Río Piedras, Puerto Rico, 1950.

————. *Búsqueda y plasmación de nuestra personalidad. (Antología crítica del ensayo puertorriqueño desde sus orígenes hasta la generación del 30.)*

————. "El ensayo de la generación del 30". En: *Literatura puertorriqueña. 21 Conferencias.* San Juan de Puerto Rico, Instituto de Cultura Puertorriqueña, 1960, pp. 321-340.

————. *El ensayo en Puerto Rico.* [Tesis doctoral, inédita]. Universidad de Madrid, 1951.

————. "El ensayo puertorriqueño en los últimos veinte años". En: *Asomante,* San Juan, Puerto Rico, 1964, XX, No. 3, p. 37.

————. Y Arce de Vázquez, Margot. "Veinticinco años del ensayo puertorriqueño, 1930-1955". En: *Asomante,* San Juan, Puerto Rico, 1955, XI, No. 1, p. 16.

Sambrano Urdaneta, Oscar. *Apreciación literaria.* Caracas, Tipografía Vargas, 1966. (Octava edición.)

Torner, Florentino M. *Antología de ensayos.* México, Editorial Orión, 1967.

Universidad de Puerto Rico. *Antología de lecturas. (Curso de Español.)*

(Edición revisada). Prólogo de Mariana Robles de Cardona. [Preparada por un comité de profesores.] 2 vols. Río Piedras, Puerto Rico, Editorial Universitaria, 1972.

Villaurrutia, Xavier. "Ensayistas franceses contemporáneos". En: *Textos y pretextos.* México, La Casa de España en México, 1940, pp. 103-111.

Vitier, Medardo. *Del ensayo americano.* México, Fondo de Cultura Económica, 1945. (Colección Tierra Firme, No. 9.)

Zavala, Iris M. y Rafael Rodríguez. *Libertad y crítica en el ensayo político puertorriqueño.* Río Piedras, Puerto Rico, Editorial Puerto, 1973.

Este libro se terminó de imprimir
el día 24 de julio de 1980, en los
Talleres Gráficos de Manuel Pareja
Montaña, 16 - Barcelona - España